자료통역사의 통하는 자료해석

②권 풀이편 :· PART Ⅰ 관점 익히기

김은기(자료통역사)

도서출판 오스틴북스

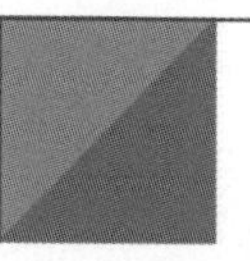

풀이편 사용 설명서

Q 통하는 자료해석 - 풀이편은 어떻게 구성됐나요?

통하는 자료해석 - 풀이편 총 3개의 파트로 구성됩니다.

파트.1 관점 익히기

: 설명의 정오판단의 계산량을 줄이기 위해 필요한 4가지 관점에 대해 학습합니다.
곱셈과 분수에 4가지 관점을 적용하여 만들어지는 3가지 비교 테크닉에 대해 학습합니다.
곱셉 비교 테크닉: 배수 테크닉, 사각 테크닉, 합차 테크닉
분수 비교 테크닉: 배수 테크닉, 기울기 테크닉, 뺄셈 테크닉

파트.2 관점 적용하기

: 4개의 설명의 유형에 관점 익히기에서 배운 4가지 관점을 적용합니다.
설명의 유형 1) 폭폭폭과 율율율: 증가와 감소에 대해 학습하며 폭과 율간의 관계에 대해 학습합니다.
설명의 유형 2) 비중: 비중에 대해 학습하며, 전체와 부분, 부분과 부분사이의 관계에 대해 학습합니다.
설명의 유형 3) 총합과 평균: 총합과 평균에 대해 학습하며, 총합과 평균 사이의 관계에 대해 학습합니다.
설명의 유형 4) 극단으로: 범위성 정보에 대한 처리 방법에 대해 학습합니다.

파트.3 체크리스트

: 자료를 구성하는 3가지 요소와 그림 자료의 함정과 힌트 다중 자료의 관계를 학습합니다.
외적구성: 외적구성에서 체크해야 할 리스트에 대해 학습하고, 비중과 지수에 대해서 학습합니다.
내적구성: 내적구성에서 힌트와 함정일 수 있는 리스트에 대해 학습합니다.
추가정보: 발문의 정의와 그에 따른 각주의 접근 방법에 대해 학습합니다.
그림자료: 꺾은선과 막대, X-Y평면, 원형, 순서도등에서 체크해야 할 리스트에 대해 학습합니다.
다중자료: 다중자료에서 관계를 파악에 필요한 체크리스트를 학습합니다.

Q 통하는 자료해석 - 풀이편의 목차는 어떻게 구성됐나요?

관점 익히기 사용 설명서

Q 관점 익히기는 어떻게 학습해야 하나요?

관점익히기 파트는 총 4개의 학습 요소로 구성됐습니다.

학습 요소.1 이론 :

4가지 관점에 대한 정의와 곱셈과 분수에 대한 풀이 이론을 대해 알려주는 부분입니다.
단순히 이론만 봐서 관점에 대해 이해가 잘 가지 않을 수 있습니다. 그렇다면 예제로 넘어가주세요.
또한, 풀이 이론 역시도 이론만으로는 이해가 힘들 수 있습니다. 그렇다면, 바로 예제에 직접 적용해보세요.
이렇듯 이론 부분만으로 이해가 어렵다면 꼭! 예제부분과 함께 이론을 학습해주세요.

학습 요소.2 예제 :

앞에 있는 이론의 이해를 실제로 적용해보기 위해 만들어진 간단한 문제들입니다.
이론을 읽는 것만으로는 이해가 어렵다면, 예제에 이론을 적용해보며 이론의 이해를 더해주세요.
또한, 적용 문제를 풀다가, 잘 풀리지 않는다면, 예제를 다시 한번 더 보는 것을 추천드립니다.

학습 요소.3 적용문제 :

이론과 예제를 통해 이해를 완료했다면, 더 심화된 문제에 이론을 적용해봐야 합니다.
이론을 적용을 할 수 있어야 진정한 이해가 완료된 것입니다.
이론과 예제를 통해서 이해를 했다고 하여도 적용문제가 한번에 잘 안 풀릴 수 있습니다. 그래도 괜찮습니다.
잘 풀리지 않는다면, 우선 이론과 예제부터 다시 참고해주세요.
만약, 이론과 예제를 봤음에도 적용하기 힘들다면, 관점 적용하기를 읽어주시며 한 단계 한 단계 따라와주세요.

학습 요소.4 드릴 :

적용문제까지 풀면서 충분히 적용을 연습했다면, 마지막으로 점검을 해야합니다.
예제와 관점 적용하기 덕분인지, 아니면 진짜로 내가 잘 적용하고 있는 것인지를 마지막으로 확인 할 시간입니다.
해당 문제는 간단 해설뿐입니다. 여러분이 자신만의 관점 적용하기를 만들어주세요.

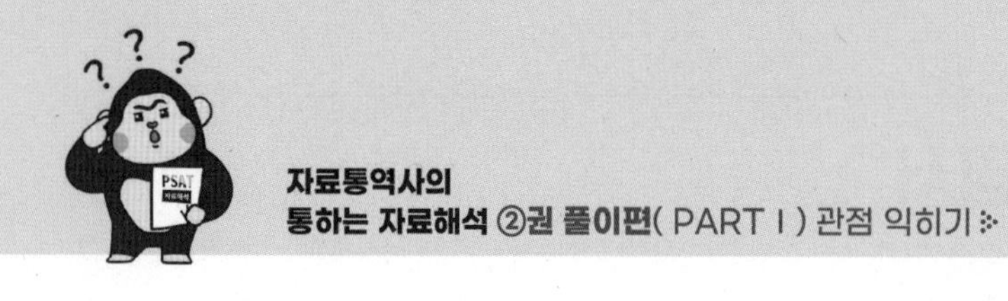

CONTENTS 목차

I 목표 및 복습

II 관점 익히기

※ 자료통역사 카페: 관통하는 자료해석 [https://cafe.naver.com/7psatdata]
※ 강의 수강 사이트: 메가피셋 [https://www.megapsat.co.kr/]

주별 학습 진도 1주

Day 1
P006~P043

1교시 학습 목표 및 학습의 방향성 P6~P13
2교시 세팅편의 복습 P14~P27
3교시 세팅편의 복습 P28~P43

Day 2
P044~P083

1교시 4가지 관점 (후보군과 계산의 2단계) P44~P65
2교시 4가지 관점 (계산이 아닌 가공) P66~P73
3교시 4가지 관점 (공통과 차이) P74~P83

Day 3
P084~P127

1교시 곱셈비교 ① 배수 테크닉 P84~P103
2교시 곱셈비교 ② 사각 테크닉 P104~P115
3교시 곱셈비교 ③ 합차 테크닉 P116~P127

Day 4
P128~P171

1교시 분수비교 ① 배수 테크닉 P128~P149
2교시 분수비교 ② 기울기 테크닉 P150~P159
3교시 분수비교 ③ 뺄셈 테크닉 P160~P171

Day 5
P172~P205

1교시 관점 익히기 [Drill] P172~P185
2교시 관점 익히기 [Drill] P186~P195
3교시 관점 익히기 [Drill] P196~P205

I

목표 및 복습

노 베이스도 안정적인 합격점으로
의지적인 반복 숙달 → 지속적인 교정이
여러분을 합격점으로 안내할 것입니다.

1 학습 목표

Q 학습 목표는 무엇입니까?

"노 베이스도 안정적인 합격점으로"가 우리가 성취할 학습 목표입니다.
여러분이 현재 어떠한 상태이건, 수능이 9등급이 나왔건, 숫자와 친하건, 친하지 않건 상관없습니다.
안정적인 합격점을 만드는 것, 그것이 우리가 성취할 학습 목표입니다.

Q 안정적인 합격점은 어떻게 성취할 수 있나요?

안정적인 합격점을 성취하기 위해서는 "올바른 훈련을 통한 습관 교정"을 해야 합니다.
여러분이 해야 할 것이 습관 교정이기에 많은 의지력이 필요합니다.
안타깝게도, 인간의 의지력은 제한적입니다. 그래서 한번에 모든 습관을 고칠 수 없습니다.
역설적으로 모든 습관을 한번에 고치려는 욕심을 버리면, 여러분은 모든 습관을 고칠 수 있습니다.
이제 우리는 모든 습관을 고치기 위해, 3단계(세팅편 - 풀이편 전략편)로 이루어진 올바른 훈련을 할 겁니다.
이것을 통해서 우리의 성취 목표인 **"노 베이스도 안정적인 합격점"**을 달성시켜 드릴 것입니다.

Q 교정해야 할 습관은 어떠한 것이 있나요?

여러분이 교정 해야 할 것은 총 4가지입니다.
1) 풀이 법 2) 풀이 순서 3) 실수 4) 숫자 감각
위의 4가지를 다음의 방법으로 교정시켜 드릴 예정입니다.

첫 번째로, 풀이법을 교정하기 위한 "최적화된 풀이"를 알려 드립니다.

시험장에서 누구나 적용 가능한 일관된 형태의 "최적화된 풀이"를 알려 드립니다.
반면, 각각의 문제에 따라 풀이의 방법이 달라 적용하기 힘든 "문제별 맞춤형 풀이"를 제공하지도 않을 것이고, 시험장에서 적용이 가능하지만 풀이의 시간이 너무 오래 걸리는 "정석적인 풀이"를 제공하지도 않을 겁니다.
여러분은 "최적화된 풀이"를 통해 풀이법이 교정된 사람이 돼야 합니다.

두 번째로, 풀이 순서를 교정하기 위한 "접근 순서"를 알려 드립니다.

최적화된 풀이를 적용하기 위해서 필요한 위한 "접근 순서"를 알려 드립니다.
오직 문제 풀이법 자체에만 집중하고 풀이 순서를 무시한다면, 어느 순간 '벽'에 막히게 됩니다.
'벽'에 막하지 않기 위해서는 "문제 접근 순서"를 같이 집중해야 합니다.
여러분은 "접근 순서"를 통해 풀이 순서가 교정된 사람이 돼야 합니다.

세 번째로, 실수를 교정하기 위한 "사고의 방식"을 알려 드립니다.

'실수'가 발생하게 되는 이유를 알려 드릴 것이고, 그것을 방지 하기 위한 "사고의 방식"을 알려 드립니다.
공부를 한적이 있다면 아시겠지만, 생각보다 '실수'라고 생각되는 부분이 많이 발생합니다.
그러나, 그것을 단순히 '실수'라고 생각한다면, 변할 수 없습니다.
실수가 왜 발생하는 지를 알고 그것을 방지하기 위한 사고의 방식을 알아야만 합니다.
여러분은 "사고의 방식"을 통해 실수가 교정된 사람이 돼야 합니다.

네 번째로, "숫자감각"이 무엇인지 알려드리고 그것을 얻을 수 있는 방법을 알려 드립니다.

숫자감각이란 무엇인지 명확하게 알려 드릴 것이고, 그것을 얻을 수 있는 방법을 알려 드립니다.
자료해석은 계산을 잘해야 합니다. 그래서 숫자감각이 중요하다. 라는 이야기가 많이 나옵니다.
그런데 도대체 숫자감각이 무엇인지, 그것을 어떻게 얻을 수 있는지가 막연하실겁니다.
더 이상은 막연하지도 않을 것이며, 숫자감각을 가진 사람으로 만들어 드리겠습니다.
여러분은 "숫자감각"이 무엇인지 알고, 숫자감각이 교정된 사람이 돼야 합니다.

Q 각각의 단계에서 무엇을 배우나요?

커리큘럼은 Step ① 세팅편 → Step ② 풀이편 → Step ③ 전략편
총 3개의 단계로 구성됐으며 다음의 것을 학습합니다.

Step ① 세팅편에서는
1. 자료란 무엇인지 학습하고, 자료의 담긴 정보를 파악하는 연습
2. 설명의 구성을 학습하고, 설명을 '재구성'을 통해 사고의 방식과 접근 순서의 교정
3. 사칙연산에 대해서 학습하고, 숫자감각 만들기
4. 실제 문제를 통해 1~3을 적용하며 풀이 습관의 교정

Step ② 풀이편에서는
1. 설명의 정오를 판단할 때 가져야 할 4가지 관점에 대한 학습
2. 4가지 관점을 적용한 사칙연산 연습
3. 설명의 유형에 따른 4가지 관점 적용한 풀이법
4. 자료의 특성을 이용한 따른 설명의 풀이법
5. 배경 지식을 활용한 설명의 풀이법
6. 실제 문제를 통해 1~5을 적용하며 풀이 법의 교정

Step ③ 전략편에서는
1. 발문을 통한 문제의 유형 분류
2. 일반형의 특징 및 문제 접근 전략
3. 매칭형의 특징 및 문제 접근 전략
4. 기타형의 특징 및 문제 접근 전략
5. 실제 문제를 통해 1~4를 적용하며 풀이 습관의 교정

Q 풀이편의 학습 목표는 무엇입니까?

풀이편의 학습목표는 딱 1가지 최적화된 풀이를 만드는 것입니다.
최적화된 풀이를 익히기 위해서 아래의 3가지가 능숙해져야 합니다.

1. 4가지 관점을 익히고 설명을 풀이 시 4가지 관점을 적용하는 것
2. 자료의 특성을 파악하여 재구성한 설명의 목적의 공식으로 만드는 것
3. 배경 지식에 대한 활용 방법을 익히고, 이것을 풀이에 적용하는 것

MEMO

2 학습의 방향성

Q 도대체 어떻게 공부해야 하나요?

자료해석 공부는 “훈련을 통한 습관화”입니다.

“훈련을 통한 습관화”가 무엇인지 이해하기 위해서,
운동을 처음 시작하는 헬린이 A가 스쿼트 100kg를 드는 것을 목표로 운동한다고 가정해 봅시다.
헬린이 A가 목표를 이루기 위해서 100시간이면 충분할까요? 아니면 1000시간이면 충분할까요?
시간과 관계없이 높은 확률로 헬린이 A는 목표를 성취하지 못할 겁니다. 오히려 부상이 생길지도 모릅니다.
물론, 정말 ‘운’이 좋다면, 적은 시간을 투자하고도 100kg 아니 150kg을 들 수도 있습니다.
그런데, 여러분은 그저 ‘운’이라는 요소에 따라 자신의 목표가 정해지도록 두실껀가요?

그렇다면 운에 맡기지 않고 목표를 성취하기 위해서는 어떻게 해야 할까요?
‘훈련을 통한 습관화’를 해야만 합니다.

1) 동작 수행 방법에 대한 지식을 습득 해야 합니다.
   기본 동작인 바벨 짊어지기, 내려갈 때 신체의 움직임, 올라갈 때 신체의 움직임 등을 습득해야 합니다.

2) 자신이 알게 된 수행 방법을 의지적으로 반복하며 숙달해서 습관화해야 합니다.
   초기에는 배운대로 몸이 움직여주지 않을 겁니다. 그러나, ‘의지력’을 가지고 반복하며 숙달해야 합니다.
   의지적인 반복 숙달은 결국 습관화로 이뤄집니다.

3) 습관의 지속적인 교정
   올바른 스쿼트의 습관화에 성공했다면, 그때부터 무게를 차근차근 올리며 자신의 목표로 나아가야 합니다.
   그러나 무게가 변화함에 따라서 자신이 초기에 만들었던 올바른 동작이 조금씩 흔들릴 수 있습니다.
   그렇기에 자신의 동작에 대한 지속적인 교정을 하며 계속 훈련한다면 누구나 100kg을 들 수 있게 됩니다.

“훈련을 통한 습관화”는 총 3단계로 구성됩니다.
1) 필요한 지식의 습득 → 2) 의지적인 반복 숙달을 통한 습관화 → 3) 습관의 지속적인 교정

Q 자료해석에 "훈련을 통한 습관화"를 어떻게 적용하나요?

자료해석의 "훈련을 통한 습관화"는 총 3단계로 구성됩니다.
1) 자료해석에 필요한 지식의 습득 → 2) 의지적인 반복 숙달을 통한 습관화 → 3) 습관의 지속적인 교정

1) 자료해석에 필요한 지식의 습득
발문을 통해 나누어지는 문제의 유형을 습득하고, 유형에 따른 풀이 전략 습득이 필요합니다.
자료를 보는 방법에 대해서 습득하고, 자료의 특징에 따른 함정에 대해서 습득이 필요합니다.
설명에 나오는 단어의 뜻과 문장 구성에 대해서 습득이 필요합니다.
설명의 유형을 습득하고 유형에 따른 풀이법의 습득이 필요합니다.
풀이법의 정오를 해결하기 위해서 필요한 사칙연산 방법에 대해서 습득이 필요합니다.
그러나, 한번에 모든 것을 습득하면 우리는 그것을 의지적으로 모두 적용할 수 없습니다.
그렇기에, 욕심을 부리지 않고 하나씩 하나씩 습관화해야 합니다.

2) 의지적인 반복을 통한 숙달
PSAT은 분명 주어진 시간이 길지 않은 시험입니다.
그러나 우리가 두 번째 단계에서 만큼은, 절대적으로 '시간'이라는 요소를 생각해서는 안됩니다.
인간의 뇌는 빠른 사고(기존의 습관 - 시스템1)과 느린 사고(새로운 지식 - 시스템2)로 구성이 된다.
충분히 반복되지 않은 새로운 것을 적용한다는 것은 느린 사고로 생각한다는 것을 의미합니다.
그런데, 심지어 자신이 원래 적용시키던 빠른 사고와 새로운 것을 적용 시키려는 느린 사고가 싸우기 시작합니다.
그렇기에 당연하게 자신이 빠르게 풀고 싶다고 해도 빠르게 풀 수가 없습니다.
2단계에서 우리가 해야 할 것은 딱 1가지입니다. 절대로 풀이 시간을 생각해서는 안됩니다.
새로운 지식을 의지적으로 반복하고 반복해서 습관으로 만드는 것뿐입니다.

3) 습관의 지속적인 교정
새롭게 배운 지식을 2단계를 통해서 충분히 반복하고 반복해서 습관화를 하셨다면,
다음 지식을 습관화 할 때, 앞에서 만든 습관이 유지될 수 있도록 노력해야 합니다.

이렇게 1,2,3단계를 통해 "훈련을 통한 습관화"를 이뤄 낸다면,
학습 목표인 **"노 베이스도 안정적인 합격점"**를 성취하게 됩니다.

3 세팅편의 복습

Q 세팅편에서는 무엇을 했나요?

세팅편에서 설명의 재구성을 통해서 '풀이를 최적화하기 위한 초석'을 만들었습니다.

자료를 통한 정보 확인 (지도 확인)	→	설명을 읽고 목적 잡기 (동선 만들기)	→	목적을 잡고 필요한 정보 찾기 (실제 이동하기)	→	정보를 찾아 정오의 판단 (정오 판단)

그리고 초석을 만들기 위해서 아래의 3가지를 익혔습니다.

1. 벽에 막히지 않기 위해 접근 순서를 교정하는 것
2. 실수가 발생하지 않도록 사고의 방식을 교정하는 것
3. 숫자를 암기하고, 활용법을 체화하여 숫자 감각을 만드는 것

Q 접근 순서를 교정하는 것은 무엇인가요?

접근 순서를 교정한다는 것은, 비효율적인 동선에서 효율적인 동선으로 바꾸는 과정을 말합니다.
비효율적인 동선은 무엇이고, 효율적인 동선이 무엇인지 알기 위해서 같이 쇼핑을 한번 해봅시다.

쇼핑목록과 지도는 다음과 같습니다.

쇼핑 목록: 소고기, 카페라떼, 스킨로션, 닭고기

집 (출발지, 도착지)	카페 (카페라떼)	정육점 (소고기, 닭고기)	로드샵 (스킨로션)

여러분은 아래의 3개의 동선 중 어떠한 동선을 선택하시겠습니까?
① 집 → 정육점(소고기) → 카페(카페라떼) → 로드샵(스킨로션) → 정육점(닭고기) → 집
② 집 → 로드샵(스킨로션) → 정육점(소고기, 닭고기) → 카페(카페라떼) → 집
③ 집 → 카페(카페라떼) → 정육점(소고기, 닭고기) → 로드샵(스킨로션) → 집
당연히 ② 또는 ③처럼 효율적인 동선중 무엇을 선택해야 할지를 고민을 하실 겁니다.
그러나, 자료 해석을 풀때 ①처럼 비효율적인 동선을 선택하는 분들이 너무나도 많습니다.
그래서 이런 비효율적인 동선을 효율적인 동선으로 교정해야만 합니다.
효율적인 동선을 만들기 위해서 아래의 2가지를 꼭 지켜야 합니다.

1) 주어진 자료의 먼저 가볍게 훑어 봐야 한다. → 자료는 효율적인 동선을 만들기 위한 지도.
2) 설명을 풀때 재구성하여 접근 해야 한다. → 재구성은 효율적인 동선을 만드는 계획.

설명의 재구성이란, 설명을 ① 목적 파트 → ② 정보 파트 → ③ 정오 파트 순으로 재구성하는 것을 말합니다.
특히 ① 목적 파트를 통해 설명의 유형을 판단하고, 그에 맞는 식을 떠올리는 것이 가장 중요합니다.

MEMO

✲ 목적 파트에 등장하는 요소들

1) 다양한 명사

정의: 자료(표나 그림)에 나오는 다양한 명사들이며, 크게 2가지로 나누어진다.

1) 주어진 자료에 이미 주어진 형태로 특별한 추론이 필요 없는 형태
2) 주어진 자료에 주어진 형태가 아니기에 추론이 필요한 형태
   ex) 목적: GDP, 자료에 1인당 GDP와 인구가 나온다면? → GDP = 1인당 GDP × 인구

✲ 알아 두기 - 이항

• 덧셈과 뺄셈의 이항

A+B = C → 만약 B를 이항하고 싶다면, 좌항에 B를 없애기 위해 양변 모두 B를 빼준다.
→ A+B-B = C-B → A = C-B → 결과적으로 좌항에 B가 사라진다.

A-B = C → 만약 B를 이항하고 싶다면, 좌항에 B를 없애기 위해 양변 모두 B를 더한다.
→ A-B+B = C+B → A = C+B → 결과적으로 좌항에 B가 사라진다.

(※ 앞에 사칙연산 기호가 없는 A나 C의 앞에는 +있다고 생각하자. 따라서 이항시에 빼줘야 한다.)

• 곱셈과 나눗셈의 이항

A×B = C → 만약 B를 이항하고 싶다면, 좌항에 B를 없애기 위해 양변에 모두 B를 나눠준다.
→ A×B÷B = C÷B → A = C÷B → 결과적으로 좌항에 B가 사라진다.

A÷B = C → 만약 B를 이항하고 싶다면, 좌항에 B를 없애기 위해 양변에 모두 B를 곱해준다.
→ A÷B×B = C×B → A = C×B → 결과적으로 좌항에 B가 사라진다.

(※ 앞에 사칙연산 기호가 없는 A나 C의 앞에는 ×있다고 생각하자. 따라서 이항시에 나눠줘야 한다.)

2) 분수구조 3형제

정의: $\frac{B}{A}$

1) A당 B = $\frac{B}{A}$
   → 인구당 GDP

2) A대비 B의 비율 = $\frac{B}{A}$
   → 가성비

3) A중 B의 비율 = $\frac{B}{A}$
   → 인구 중 남성비율

3) 폭폭폭 (과거값(t_1) → 현재값(t_2))

정의: 과거값과 현재값 사이의 차이

1) 증가폭
   = 현재값(t_2) - 과거값(t_1)

2) 감소폭
   = 과거값(t_1) - 현재값(t_2)

3) 변화(증감)폭
   = |현재값(t_2) - 과거값(t_1)|

[※ 단, 자료에서 등장하는 변화와 증감에서는 절대값을 의미하지 않는다.]

※ 목적 파트에 등장하는 요소들

4) 율율율 (과거값(t_1) → 현재값(t_2))

정의 : $\frac{\text{폭폭폭}}{\text{과거값}}$

1) 증가율

$= \frac{\text{증가폭}(t_2 - t_1)}{\text{과거값}(t_1)}$

2) 감소율

$= \frac{\text{감소폭}(t_1 - t_2)}{\text{과거값}(t_1)}$

3) 변화(증감)율

$= \frac{\text{변화폭}(|t_2 - t_1|)}{\text{과거값}(t_1)}$

[※ 단, 자료에서 등장하는 변화와 증감에서는 절대 값을 의미하지 않는다.]

※ 알아 두기 - % 증가/감소와 %p 증가/감소의 차이

%란, 단순히 단위를 의미한다. ex) X% = $\frac{X}{100}$

따라서, 10% 증가했다는 것은, 과거에 비해서 $\times \frac{10}{100}$만큼이 추가로 커졌다는 것을 의미한다.

%p란, %값의 차이를 의미한다.

따라서, 5%p 증가했다는 것은, 과거에 비해서 $+\frac{5}{100}$만큼이 추가로 커졌다는 것을 의미한다.

※ 알아 두기 - 전년 대비의 정보 파트

1) 2013년 이후 매년 증가했다. → 필요한 정보: 2013년 이후 매년

2) 2013년 이후 전년대비 매년 증가했다. → 필요한 정보: 2012년 이후 매년

※ 2)의 경우 2013년에도 전년대비 증가했는지에 대한 확인이 필요하다.

5) 비중/점유율

정의 : $\frac{\text{부분}}{\text{전체}} = \frac{A}{U}$

※ 알아 두기 - 부분과 전체

전체(U)는 여러 가지의 부분(A, B, C…)들로 구성된다. → U = A + B + C + …

$\frac{A}{U} = \frac{A}{A + B + C + \cdots}$

(※ 부분들은 상호 배타적인 관계이다. 상호 배타적이란, A∩B = 0)

6) 지수

정의 : $\frac{\text{해당값}}{\text{기준값}}$

3 세팅편의 복습 - 숫자 감각

Q 숫자 감각이란 무엇인가요?

숫자 감각이란
① 이미 알고 있는 계산 결과 값의 양, ② 계산을 접근하는 관점 2가지가 혼합된 개념이다.
첫 번째로 이미 알고 있는 계산 결과값의 양이란 말 그대로 다음 식의 계산 값을 이미 알고 있는 것을 말한다.
그 대표적인 예시가 구구단이다.
9 × 5라는 계산식을 보고 우리는 이것을 계산하지 않습니다. 9×5 = 45라는 사실을 이미 알고 있기 때문이다.

두 번째로는 계산을 접근하는 관점이다. 4×25 = 100이라는 사실을 안다고 가정하고 아래의 곱셈을 해보자.

$$16\times26$$

만약 특별한 관점 없이 계산한다면, 열심히 곱셈을 해야 한다.
그러나, 4×25 = 100이라고 하였으므로, (16×26) → (16×25 + 16×1)으로 찢어서 생각할 수 있다.
16×25 = 4×4×25 = 400이고, 16×1 = 16 이므로, 16×26 = 416이라고 결과값을 도출할 수 있다.

따라서, 이미 알고 있는 계산 결과 값의 양을 늘리기 위해 많은 양의 숫자를 암기해야 하며,
계산을 접근하는 관점을 알고 그것을 적용하는 연습을 해야 한다.
그리고 초석을 만들기 위해서 아래의 3가지를 익혔습니다.

Q 계산을 접근 할때는 어떠한 관점으로 숫자를 봐야 하나요?

자료해석에서는 정확한 '값'을 물어보기 보다는 '비교'를 하기 위해서 계산이 사용된다.
따라서, 계산을 접근하는 관점에서 가장 중요한 것은 '비교'이다.

Q 숫자 감각을 만들기 위해 암기 해야 할 숫자는 무엇입니까?

다음의 페이지에 상세하게 적어두었습니다.

숫자 암기 모음집

1) 10을 만드는 숫자쌍과 9를 만드는 숫자쌍

10을 만드는 숫자 쌍		9를 만드는 숫자 쌍	
1	9	1	8
2	8	2	7
3	7	3	6
4	6	4	5
5	5		

2) 덧셈에서 자리올림을 발생시키는 숫자 쌍

0	-
1	9
2	8,9
3	7,8,9
4	6,7,8,9
5	5,6,7,8,9
6	4,5,6,7,8,9
7	3,4,5,6,7,8,9
8	2,3,4,5,6,7,8,9
9	1,2,3,4,5,6,7,8,9

3) 뺄셈에서 자리내림을 발생시키는 숫자 쌍

앞 숫자	뒷 숫자
9	-
8	9
7	8,9
6	7,8,9
5	6,7,8,9
4	5,6,7,8,9
3	4,5,6,7,8,9
2	3,4,5,6,7,8,9
1	2,3,4,5,6,7,8,9
0	1,2,3,4,5,6,7,8,9

4) 100을 만드는 숫자 쌍

1	99	11	89	21	79	31	69	41	59
2	98	12	88	22	78	32	68	42	58
3	97	13	87	23	77	33	67	43	57
4	96	14	86	24	76	34	66	44	56
5	95	15	85	25	75	35	65	45	55
6	94	16	84	26	74	36	64	46	54
7	93	17	83	27	73	37	63	47	53
8	92	18	82	28	72	38	62	48	52
9	91	19	81	29	71	39	61	49	51
10	90	20	80	30	70	40	60	50	50

5) 구구단

	2	3	4	5	6	7	8	9
×1	2	3	4	5	6	7	8	9
×2	4	6	8	10	12	14	16	18
×3	6	9	12	15	18	21	24	27
×4	8	12	16	20	24	28	32	36
×5	10	15	20	25	30	35	40	45
×6	12	18	24	30	36	42	48	54
×7	14	21	28	35	42	49	56	63
×8	16	24	32	40	48	56	64	72
×9	18	27	36	45	54	63	72	81
×10	20	30	40	50	60	70	80	90

6) 기타 곱셈

01) 11 × 11 = 121	11) 4 × 25 = 100
02) 12 × 12 = 144	12) 5 × 20 = 100
03) 13 × 13 = 169	13) 2 × 1.5 = 3
04) 14 × 14 = 196	14) 25 × 25 = 625
05) 15 × 15 = 225	15) 210 = 1024
06) 16 × 16 = 256	16) x × 5 = 10x ÷ 2
07) 17 × 17 = 289	17) (x+a)(x-a) = x2 - a2
08) 18 × 18 = 324	ex) 13 × 17 = (15-2)×(15+2) = 152 - 22 = 221
09) 19 × 19 = 361	
10) 20 × 20 = 400	

7) 곱셈 암기

2단	1X	2X	3X	4X	5X	6X	7X	8X	9X
X0	20	40	60	80	100	120	140	160	180
X1	22	42	62	82	102	122	142	162	182
X2	24	44	64	84	104	124	144	164	184
X3	26	46	66	86	106	126	146	166	186
X4	28	48	68	88	108	128	148	168	188
X5	30	50	70	90	110	130	150	170	190
X6	32	52	72	92	112	132	152	172	192
X7	34	54	74	94	114	134	154	174	194
X8	36	56	76	96	116	136	156	176	196
X9	38	58	78	98	118	138	158	178	198

3단	1X	2X	3X	4X	5X	6X	7X	8X	9X
X0	30	60	90	120	150	180	210	240	270
X1	33	63	93	123	153	183	213	243	273
X2	36	66	96	126	156	186	216	246	276
X3	39	69	99	129	159	189	219	249	279
X4	42	72	102	132	162	192	222	252	282
X5	45	75	105	135	165	195	225	255	285
X6	48	78	108	138	168	198	228	258	288
X7	51	81	111	141	171	201	231	261	291
X8	54	84	114	144	174	204	234	264	294
X9	57	87	117	147	177	207	237	267	297

4단	1X	2X	3X	4X	5X	6X	7X	8X	9X
X0	40	80	120	160	200	240	280	320	360
X1	44	84	124	164	204	244	284	324	364
X2	48	88	128	168	208	248	288	328	368
X3	52	92	132	172	212	252	292	332	372
X4	56	96	136	176	216	256	296	336	376
X5	60	100	140	180	220	260	300	340	380
X6	64	104	144	184	224	264	304	344	384
X7	68	108	148	188	228	268	308	348	388
X8	72	112	152	192	232	272	312	352	392
X9	76	116	156	196	236	276	316	356	396

5단	1X	2X	3X	4X	5X	6X	7X	8X	9X
X0	50	100	150	200	250	300	350	400	450
X1	55	105	155	205	255	305	355	405	455
X2	60	110	160	210	260	310	360	410	460
X3	65	115	165	215	265	315	365	415	465
X4	70	120	170	220	270	320	370	420	470
X5	75	125	175	225	275	325	375	425	475
X6	80	130	180	230	280	330	380	430	480
X7	85	135	185	235	285	335	385	435	485
X8	90	140	190	240	290	340	390	440	490
X9	95	145	195	245	295	345	395	445	495

8) 인수 분해 암기

1	-	51	3×17
2	-	52	4×13
3	2×1.5	53	-
4	2×2	54	3×18, 6×9
5	2×2.5	55	5×11
6	2×3	56	4×14, 8×7
7	2×3.5	57	3×19
8	2×4	58	-
9	3×3	59	-
10	2×5, 4×2.5	60	3×20, 5×12, 6×10
11	-	61	-
12	2×6, 3×4	62	-
13	-	63	7×9
14	2×7	64	4×16, 8×8
15	3×5	65	5×13
16	2×8, 4×4	66	6×11
17	-	67	-
18	2×9, 3×6	68	4×17
19	-	69	-
20	2×10, 4×5	70	5×14, 7×10
21	3×7	71	-
22	2×11	72	4×18 6×12 8×9
23	-	73	-
24	2×12, 3×8, 4×6	74	-
25	5×5	75	5×15
26	2×13	76	4×19
27	3×9	77	7×11
28	2×14, 4×7	78	-
29	-	79	-
30	3×10, 5×6	80	4×20, 5×16, 8×10
31	-	81	9×9
32	2×16, 4×8	82	-
33	3×11	83	-
34	2×17	84	7×12
35	5×7	85	5×17
36	2×18, 3×12, 4×9, 6×6	86	-
37	-	87	-
38	2×19	88	8×11
39	3×13	89	-
40	2×20, 4×10, 8×5	90	5×18 9×10
41	-	91	-
42	3×14, 6×7	92	4×23
43	-	93	-
44	4×11	94	-
45	3×15, 5×9	95	5×19
46	-	96	4×24, 6×16, 8×12
47	-	97	-
48	4×12, 6×8	98	7×14
49	7×7	99	9×11
50	5×10	100	5×20, 10×10

1	-	51	
2	-	52	
3		53	-
4		54	
5		55	
6		56	
7		57	
8		58	-
9		59	-
10		60	
11	-	61	-
12		62	-
13	-	63	
14		64	
15		65	
16		66	
17	-	67	-
18		68	
19	-	69	-
20		70	
21		71	-
22		72	
23	-	73	-
24		74	-
25		75	
26		76	
27		77	
28		78	-
29	-	79	-
30		80	
31	-	81	
32		82	-
33		83	-
34		84	
35		85	
36		86	-
37	-	87	-
38		88	
39		89	-
40		90	
41	-	91	-
42		92	
43	-	93	-
44		94	-
45		95	
46	-	96	
47	-	97	-
48		98	
49		99	
50		100	

9) 분수 암기

분모	분수 값			
2	$\frac{1}{2}$=50.00%			
3	$\frac{1}{3}$=33.33%	$\frac{2}{3}$=66.66%		
4	$\frac{1}{4}$=25.00%	$\frac{3}{4}$=75.00%		
5	$\frac{1}{5}$=20.00%	$\frac{2}{5}$=40.00%	$\frac{3}{5}$=60.00%	$\frac{4}{5}$=80.00%
6	$\frac{1}{6}$=16.66%	$\frac{5}{6}$=83.33%		
7	$\frac{1}{7}$=14.2857%	$\frac{2}{7}$=28.5714%	$\frac{3}{7}$=42.8571%	
	$\frac{4}{7}$=57.1428%	$\frac{5}{7}$=71.4285%	$\frac{6}{7}$=85.7142%	
8	$\frac{1}{8}$=12.50%	$\frac{3}{8}$=37.50%	$\frac{5}{8}$=62.50%	$\frac{7}{8}$=87.50%
9	$\frac{1}{9}$=11.11%	$\frac{2}{9}$=22.22%	$\frac{3}{9}$=33.33%	$\frac{4}{9}$=44.44%
	$\frac{5}{9}$=55.55%	$\frac{6}{9}$=66.66%	$\frac{7}{9}$=77.77%	$\frac{8}{9}$=88.88%
11	$\frac{1}{11}$=9.09%	$\frac{5}{11}$=45.45%	$\frac{6}{11}$=54.54%	$\frac{10}{11}$=90.90%
12	$\frac{1}{12}$=8.33%	$\frac{5}{12}$=41.66%	$\frac{7}{12}$=58.33%	$\frac{11}{12}$=91.66%
13	$\frac{1}{13}$=7.69%	$\frac{6}{13}$=46.15%	$\frac{7}{13}$=53.85%	$\frac{12}{13}$=92.31%
14	$\frac{1}{14}$=7.14%			$\frac{13}{14}$=92.86%
15	$\frac{1}{15}$=6.66%	$\frac{7}{15}$=46.66%	$\frac{8}{15}$=53.33%	$\frac{14}{15}$=93.33%
16	$\frac{1}{16}$=6.25%	$\frac{7}{16}$=43.75%	$\frac{9}{16}$=56.25%	$\frac{15}{16}$=93.75%
17	$\frac{1}{17}$=5.88%	$\frac{8}{17}$=47.06%	$\frac{9}{17}$=52.94%	$\frac{16}{17}$=94.12%
18	$\frac{1}{18}$=5.55%			$\frac{17}{18}$=94.44%
19	$\frac{1}{19}$=5.26%	$\frac{9}{19}$=47.37%	$\frac{10}{19}$=52.63%	$\frac{18}{19}$=94.74%
20	$\frac{1}{20}$=5.00%			$\frac{19}{20}$=95.00%

분모	분수 값			
2	$\frac{1}{2}$=			
3	$\frac{1}{3}$=	$\frac{2}{3}$=		
4	$\frac{1}{4}$=	$\frac{3}{4}$=		
5	$\frac{1}{5}$=	$\frac{2}{5}$=	$\frac{3}{5}$=	$\frac{4}{5}$=
6	$\frac{1}{6}$=	$\frac{5}{6}$=		
7	$\frac{1}{7}$=	$\frac{2}{7}$=	$\frac{3}{7}$=	
	$\frac{4}{7}$=	$\frac{5}{7}$=	$\frac{6}{7}$=	
8	$\frac{1}{8}$=	$\frac{3}{8}$=	$\frac{5}{8}$=	$\frac{7}{8}$=
9	$\frac{1}{9}$=	$\frac{2}{9}$=	$\frac{3}{9}$=	$\frac{4}{9}$=
	$\frac{5}{9}$=	$\frac{6}{9}$=	$\frac{7}{9}$=	$\frac{8}{9}$=
11	$\frac{1}{11}$=	$\frac{5}{11}$=	$\frac{6}{11}$=	$\frac{10}{11}$=
12	$\frac{1}{12}$=	$\frac{5}{12}$=	$\frac{7}{12}$=	$\frac{11}{12}$=
13	$\frac{1}{13}$=	$\frac{6}{13}$=	$\frac{7}{13}$=	$\frac{12}{13}$=
14	$\frac{1}{14}$=			$\frac{13}{14}$=
15	$\frac{1}{15}$=	$\frac{7}{15}$=	$\frac{8}{15}$=	$\frac{14}{15}$=
16	$\frac{1}{16}$=	$\frac{7}{16}$=	$\frac{9}{16}$=	$\frac{15}{16}$=
17	$\frac{1}{17}$=	$\frac{8}{17}$=	$\frac{9}{17}$=	$\frac{16}{17}$=
18	$\frac{1}{18}$=			$\frac{17}{18}$=
19	$\frac{1}{19}$=	$\frac{9}{19}$=	$\frac{10}{19}$=	$\frac{18}{19}$=
20	$\frac{1}{20}$=			$\frac{19}{20}$=

10) 0% 암기

분수값 \ 분모값	10	20	30	40	50	60	70	80	90
10%	$\frac{1}{10}$	$\frac{2}{20}$	$\frac{3}{30}$	$\frac{4}{40}$	$\frac{5}{50}$	$\frac{6}{60}$	$\frac{7}{70}$	$\frac{8}{80}$	$\frac{9}{90}$
20%	$\frac{2}{10}$	$\frac{4}{20}$	$\frac{6}{30}$	$\frac{8}{40}$	$\frac{10}{50}$	$\frac{12}{60}$	$\frac{14}{70}$	$\frac{16}{80}$	$\frac{18}{90}$
30%	$\frac{3}{10}$	$\frac{6}{20}$	$\frac{9}{30}$	$\frac{12}{40}$	$\frac{15}{50}$	$\frac{18}{60}$	$\frac{21}{70}$	$\frac{24}{80}$	$\frac{27}{90}$
40%	$\frac{4}{10}$	$\frac{8}{20}$	$\frac{12}{30}$	$\frac{16}{40}$	$\frac{20}{50}$	$\frac{24}{60}$	$\frac{28}{70}$	$\frac{32}{80}$	$\frac{36}{90}$
50%	$\frac{5}{10}$	$\frac{10}{20}$	$\frac{15}{30}$	$\frac{20}{40}$	$\frac{25}{50}$	$\frac{30}{60}$	$\frac{35}{70}$	$\frac{40}{80}$	$\frac{45}{90}$
60%	$\frac{6}{10}$	$\frac{12}{20}$	$\frac{18}{30}$	$\frac{24}{40}$	$\frac{30}{50}$	$\frac{36}{60}$	$\frac{42}{70}$	$\frac{48}{80}$	$\frac{54}{90}$
70%	$\frac{7}{10}$	$\frac{14}{20}$	$\frac{21}{30}$	$\frac{28}{40}$	$\frac{35}{50}$	$\frac{42}{60}$	$\frac{49}{70}$	$\frac{56}{80}$	$\frac{63}{90}$
80%	$\frac{8}{10}$	$\frac{16}{20}$	$\frac{24}{30}$	$\frac{32}{40}$	$\frac{40}{50}$	$\frac{48}{60}$	$\frac{56}{70}$	$\frac{64}{80}$	$\frac{72}{90}$
90%	$\frac{9}{10}$	$\frac{18}{20}$	$\frac{27}{30}$	$\frac{36}{40}$	$\frac{45}{50}$	$\frac{54}{60}$	$\frac{63}{70}$	$\frac{72}{80}$	$\frac{81}{90}$

11) 5% 암기

분수값 \ 분모값	20	40	60	80	100
15%	$\frac{3}{20}$	$\frac{6}{40}$	$\frac{9}{60}$	$\frac{12}{80}$	$\frac{15}{100}$
25%	$\frac{5}{20}$	$\frac{10}{40}$	$\frac{15}{60}$	$\frac{20}{80}$	$\frac{25}{100}$
35%	$\frac{7}{20}$	$\frac{14}{40}$	$\frac{21}{60}$	$\frac{28}{80}$	$\frac{35}{100}$
45%	$\frac{9}{20}$	$\frac{18}{40}$	$\frac{27}{60}$	$\frac{36}{80}$	$\frac{45}{100}$
55%	$\frac{11}{20}$	$\frac{22}{40}$	$\frac{33}{60}$	$\frac{44}{80}$	$\frac{55}{100}$
65%	$\frac{13}{20}$	$\frac{26}{40}$	$\frac{39}{60}$	$\frac{52}{80}$	$\frac{65}{100}$
75%	$\frac{15}{20}$	$\frac{30}{40}$	$\frac{45}{60}$	$\frac{60}{80}$	$\frac{75}{100}$
85%	$\frac{17}{20}$	$\frac{34}{40}$	$\frac{51}{60}$	$\frac{68}{80}$	$\frac{85}{100}$
95%	$\frac{19}{20}$	$\frac{38}{40}$	$\frac{57}{60}$	$\frac{76}{80}$	$\frac{95}{100}$

3 세팅편의 복습 - 덧셈과 뺄셈

Q 덧셈과 뺄셈은 어떤 관점으로 봐야 하나요?

자료해석은 기본적으로 '비교'라는 큰 틀에서 숫자를 봐야만 합니다.
비교라는 큰 틀에서 숫자를 보기 위해서는 아래의 순서를 따라야 한다.
1) 비교를 위한 고정값의 유무를 판단하고, 고정값이 없다면 고정값을 만든다.
2) 고정값을 통해서 '비교'를 한다.

Q 덧셈은 어떻게 접근 해야 하나요?

자리올림과 자리내림의 유무부터 확인해야 합니다.

Case ① 일의 자리 때문에 자리 올림이 생기는 경우

ex) 335+328
일의 자리를 우선적으로 채워주기 위해 일의 자리를 찢는다. → 328=5+323
(335+5)+323=340+323=663

Case ② 십의 자리 때문에 자리 올림이 생기는 경우

ex) 282+475
십의 자리를 우선적으로 채워주기 위해 십의 자리를 찢는다. → 475=20+455
(282+20)+455=302+455=757

Case ③ 일의 자리와 십의 자리 때문에 자리 올림이 생기는 경우

ex) 586+379
일의 자리와 십의 자리를 채워주기 위해 숫자를 찢는다. → 379=14+365
(586+14)+365=600+365=965

Case ④ 일의 자리 때문에 자리 올림 + 십의 자리의 합이 9인 경우

ex) 138+569
일의 자리를 우선적으로 채워주면, 십의 자리에서도 자리올림이 발생한다.
따라서, 일의 자리와 십의 자리를 채워주기 위해 숫자를 찢는다. → 569=62+507
(138+62)+507 = 200+507 = 707

Q 덧셈은 어떻게 접근해야 하나요?

자리올림과 자리내림의 유무부터 확인해야 합니다.

Case ① 일의 자리 때문에 자리 내림이 생기는 경우

ex) 482 - 158
십의 자리의 자리 내림이 발생하지 않도록 숫자를 찢는다. → 482 = 322+160
322+(160 - 158) = 322+2 = 324

Case ② 십의 자리 때문에 자리 내림이 생기는 경우

ex) 458 - 183
일의 자리는 자리 내림이 발생하지 않으므로 후에 처리한다. → 458→450, 183→180
백의 자리의 자리 내림이 발생하지 않도록 숫자를 찢는다. → 450 = 250+200
250+(200 - 180) = 250+20 = 270, 일의 자리 결과가 5이므로, 275

Case ③ 일의 자리와 십의 자리 때문에 모두 자리 내림이 생기는 경우

ex) 536 - 379
백의 자리의 자리 내림이 발생하지 않도록 숫자를 찢는다. → 536 = 136+400
136+(400 - 379) = 136+21 = 157

Case ④ 일의 자리 때문에 자리 내림 + 십의 자리의 크기가 같은 경우

ex) 735 - 339
십의 자리의 자리 내림이 발생하지 않도록 숫자를 찢으면, 백의 자리에서 자리 내림이 생긴다.
따라서, Case③처럼 숫자를 찢는다. → 735 = 335+400
335+(400 - 339) = 335+61 = 396

Q 덧셈과 뺄셈의 비교는 어떻게 하나요?

각각의 숫자의 증감을 통해서 비교가 가능하다.
예를들어, A + B VS C + D를 비교한다면 A → C의 증감과 B → D의 증감을 통해서 비교가 가능하다.

덧셈과 뺄셈(복습)-01 (제작 문제)

다음 〈표〉는 마라톤에 참여한 A~F의 경기기록에 대한 자료이다. 이에 대한 〈설명〉의 정오는?

〈표〉 마라톤 참여선수 A~F의 경기기록

구분 / 선수명	3월	9월
A	3시간 21분 13초	2시간 41분 23초
B	2시간 49분 23초	2시간 21분 38초
C	3시간 14분 18초	2시간 41분 27초
D	2시간 53분 42초	2시간 28분 33초
E	3시간 42분 33초	3시간 08분 15초
F	2시간 48분 52초	2시간 19분 46초

설명

1. 3월에 비해 9월 기록이 가장 많이 단축된 선수는 E이다.

(O, X)

✓ 자료

✓ 설명

▸ 목적 파트는?

▸ 정보 파트는?

▸ 정오 파트는?

관점 적용하기

1. (O) E의 기록 단축시간 = 3시간 42분 33초 − 3시간 08분 15초 ≒ 35분
   다른 선수 중 30분 이상 단축한 선수는 C뿐이다.
   C의 기록 단축시간 = 3시간 14분 18초 − 2시간 41분 27초 ≒ 33분
   E가 가장 크다.

답 (O)

덧셈과 뺄셈(복습)-02 (제작 문제)

다음 〈표〉는 연도별 신혼부부에 대한 자료이다. 이에 대한 〈설명〉의 정오는?

〈표〉 연도별 신혼부부 수

(단위: 쌍)

구분 \ 연도	2016	2017	2018	2019
신혼부부	148,943	154,118	158,315	162,252
자가 보유	( )	( )	32,515	( )
자가 미 보유	112,281	118,251	( )	128,548

※ 신혼부부는 자가 보유와 미 보유로만 구성됨.

설명

1. 자가를 보유한 신혼부부 수는 매년 감소한다. (O, X)

자료

설명

▸ 목적 파트는?

▸ 정보 파트는?

▸ 정오 파트는?

관점 적용하기

1. (X) 자가 보유 = 신혼부부 - 자가 미보유로 구성된다.
2016년과 2017년은 둘다 빈칸으로 주어졌으므로, 비교법으로 접근하자.
신혼부부는 약 5천쌍 증가했는데, 자가 미보유는 약 6천쌍 증가했다. 따라서, 자가 보유는 감소했다.
2018년은 자가 보유가 주어져 있으므로, 2018년의 값을 고정값으로 생각하여 2017년과 2019년을 비교하자.
2017년은 32,000쌍보다 크므로, 2018년에는 감소했고, 2019년은 32,000쌍보다 크므로, 증가했다.
따라서, 2018년까지는 매년 감소했으나, 2019년에는 증가했으므로, 매년 감소하지 않았다.

답 (X)

3 세팅편의 복습 - 곱셈

Q 곱셈은 어떤 관점으로 봐야 하나요?

곱셈도 당연히 비교에 집중해야 한다.
높은 자릿수 위주로 집중하여 정확한 값을 도출하려 하기보단, 비교 자체에 목적을 두는 것이 매우 중요하다.

그러나, 곱셈은 앞에서 배운 덧셈과 뺄셈과는 조금 다르다.
곱셈과 '고정값'을 비교하는 형태에서도, 여러분이 곱셈의 결과 값을 짐작하는 능력이 자체가 없다면,
비교의 대상이 '고정값'의 형태로 주어졌다고 하여도, 비교의 결과를 생각하는 것이 결코 쉽지 않을 것이다.
따라서, 위에 주어진 숫자 암기를 매우 매우 열심히 해야 한다.

또한, 곱셈 역시도 비교라는 큰 틀을 따르기 위해서는 아래의 순서를 따라야 한다.
1) 비교를 위한 고정값의 유무를 판단하고, 고정값이 없다면 고정값을 만든다.
2) 고정값을 통해서 '비교'를 한다.

여기서 고정값을 만들기 위해서는 아래의 4가지 관점이 필요하다.
① 플마 찢기 - 가로연산
② 곱셈 찢기 - 인수분해
③ 분수로 접근하기
④ 증가 감소로 접근하기

이중 플마 찢기와 곱셈 찢기는 정밀한 고정값을 만들기 위한 관점이고,
분수로 접근하기와 증가와 감소로 접근하기는 대략적인 고정값을 만들기 위한 관점이다.

우리가 해야할 것은 '비교'이기 때문에 대부분은 2)를 통해서 확인하자.
허나, 정밀함이 필요한 경우에는 1)로 접근한다.

Q 관점.1 (플마 찢기 - 가로 연산)

곱하기를 진행할 때는, 숫자를 있는 그대로 보는 것이 아니라
플러스(+)와 마이너스(-)를 이용하여 숫자를 찢어서 보는 것이 필요하다.
바로 위의 예시처럼 83×17과 같은 2개의 곱으로 구성된 경우,
17을 20-3으로 찢어서 보는 것이 대표적인 플마 찢기의 예시이다.
만약, 24×75와 같은 숫자였다면, 24를 20+4로 찢어서 보는 것이다.

플마 찢기에서 중요한 것은, 내가 곱하기 편한 숫자로 찢어 내는 것이 중요하다.
24×75의 경우 찢을 수 있는 경우의 수가 총 4가지가 존재한다.
1. (20+4)×75 2. (30-6)×75 3. 24×(70+5) 4. 24×(80-5)
이중 가장 편한 형태는 1번으로 구성된 형태이기에, 1번의 형태로 플마 찢기를 이용하는 것이 가장 합리적이다.

원한다면, 숫자를 둘 다 찢어 낼 수도 있다.
62×73 → (60+2)×(70+3) = (60×70) + (60×3) + (70×2) + (2×3) = 4200+180+140+6 = 4,526

Q 관점.2 (곱셈 찢기 - 인수 분해)

곱하기를 쉽게 보기 위한 형태는 플마(+ -)찢기 뿐만 아니라 곱셈(×)을 통해서 찢는 방법도 존재한다.
바로 위의 예시처럼 24×75의 경우 24는 6×4, 75는 25×3와 같은 형태로 찢어 볼 수 있다.
그렇다면 24×75=(6×4)×(25×3)=6×(4×25)×3=6×100×3이므로, 1,800이라는 결과값을 편하게 볼 수 있다.

곱셈 찢기에서도 중요한 것은 내가 곱하기 편한 숫자로 찢어 내는 것이다.
위에서 풀었던, 24×75의 경우 찢을 수 있는 경우의 수가 매우 많은 형태로 찢어 낼 수 있다.
예를 들어 24만 해도 2×12, 3×8, 4×6으로 3개로 찢어 낼 수 있기 때문에,
이중 나에게 편한 값이 무엇일지를 생각해야 한다.
이러한 것을 떠오를 수 있게 만드는 것이 바로 친숙한 숫자를 만드는 암기이다.

Q 관점.3 (분수로 접근하기)

친숙한 숫자 만들기를 통해서 많은 분수값을 암기했을 것이다. 암기한 분수값들은 곱셈에서도 이용될 수 있다. 단위(%)를 생각하지 말고 오직, 유사한 숫자구성이 있는지만을 생각해보는 것이다.

예를 들어, 77×90.9라는 곱셈이 있다면, 90.9을 보고, 90.9%($≒\frac{10}{11}$)를 떠올릴 수 있다면,

90.9를 $\frac{10}{11}\times100$의 형태로 바꾸어 생각해보면, $77\times\frac{10}{11}\times100 ≒ 7{,}000$이라고 결론낼 수 있다.

Q 관점.4 (증가 감소로 접근하기)

위에서 배운 관점.1과 관점.2를 응용하여 생각하면, 곱셈을 증가와 감소처럼 생각할 수 있게 된다.
예를 들어 24×54라는 곱셈이 있다고 가정해보자.
여기서 24라는 값은 곱셈 찢기를 이용하여 20×1.2로 찢어 생각해보자.
그렇다면, 24×54 → 20×54×1.2의 형태로 바꿀 수 있게 된다.
여기서 1.2를 플마찢기를 이용해서 생각해본다면,
20×54×1.2 → 20×54×(1+0.2) → (20×54×1) + (20×54×0.2)의 형태로 바꿀 수 있게 된다.
즉, 20×54와 20×54의 20%가 합해진 값과 같다는 것을 알 수 있다.
이것을 '증가'처럼 생각해보면 20×54의 결과값인 1080에서 20% 증가된 값이라고 생각할 수 있다.
따라서, 1080에서 216가 증가한 값이므로 24×54 = 1296이다.

연습하기 [곱셈]

■ 문제지 (※ 정밀한 값이 아닌 근사치 값을 빠르게 알아내는 것이 중요함.)

01)	336	×	61.3%	=	21)	703	×	27.2%	=
02)	230	×	96.6%	=	22)	891	×	70.9%	=
03)	407	×	29.0%	=	23)	317	×	62.9%	=
04)	965	×	15.1%	=	24)	602	×	32.6%	=
05)	206	×	19.5%	=	25)	789	×	17.3%	=
06)	880	×	39.2%	=	26)	760	×	46.7%	=
07)	991	×	72.0%	=	27)	899	×	70.1%	=
08)	273	×	88.0%	=	28)	715	×	57.9%	=
09)	974	×	35.0%	=	29)	343	×	54.5%	=
10)	710	×	63.3%	=	30)	868	×	62.5%	=
11)	293	×	51.7%	=	31)	611	×	24.7%	=
12)	299	×	96.6%	=	32)	114	×	71.4%	=
13)	138	×	53.9%	=	33)	735	×	94.1%	=
14)	622	×	98.8%	=	34)	684	×	51.4%	=
15)	766	×	62.3%	=	35)	377	×	30.9%	=
16)	225	×	33.3%	=	36)	282	×	64.1%	=
17)	535	×	53.0%	=	37)	936	×	35.0%	=
18)	827	×	61.6%	=	38)	395	×	55.8%	=
19)	820	×	71.1%	=	39)	948	×	59.9%	=
20)	225	×	91.4%	=	40)	410	×	57.3%	=

■ 답안지

01)	205.97	11)	151.48	21)	191.22	31)	150.92
02)	222.18	12)	288.83	22)	631.72	32)	81.40
03)	118.03	13)	74.38	23)	199.39	33)	691.64
04)	145.72	14)	614.53	24)	196.25	34)	351.58
05)	40.17	15)	477.21	25)	136.50	35)	116.49
06)	344.96	16)	74.92	26)	354.92	36)	180.76
07)	713.52	17)	283.55	27)	630.20	37)	327.60
08)	240.24	18)	509.43	28)	413.99	38)	220.41
09)	340.90	19)	583.02	29)	186.94	39)	567.85
10)	449.43	20)	205.65	30)	542.50	40)	234.93

곱셈(복습)-01 (제작 문제)

다음 〈표〉는 지역별 인구, 경찰공무원, 범죄자 수에 관한 자료이다. 이에 대한 〈설명〉의 정오는?

〈표〉 지역별 인구, 경찰공무원, 범죄자수 현황

(단위: 천명, 명)

지역 \ 구분	인구	인구 만명당 경찰공무원 수	인구 만명당 범죄자 수
A	3,751	1.313	0.412
B	2,581	2.518	0.681
C	3,622	2.622	0.583
D	5,448	1.666	0.511
E	6,254	1.428	0.322
F	4,485	1.833	0.467

설명

1. 경찰 공무원수는 D지역이 E지역보다 많다.
(O, X)

2. 범죄자 수는 F지역이 C지역보다 적다.
(O, X)

자료

설명

▸ 목적 파트는?

▸ 정보 파트는?

▸ 정오 파트는?

관점 적용하기

1. (O) 경찰 공무원 수 = 인구 × 인구 만명당 경찰공무원 수, 인구 만명당은 비교이기 때문에 영향을 주지 않는다.
D 지역 = 5,448×1.666(≒10/6) = 9000↑, E 지역 = 6254×1.428(≒10/7) = 9000↓
따라서, D지역이 E지역보다 많다.
2. (O) 범죄자 수 = 인구 × 인구 만명당 범죄자 수, 인구 만명당은 비교이기 때문에 영향을 주지 않는다.
C 지역 = 3622×0.583(≒7/12) = 2100↑, F 지역 = 4485×0.467(≒7/15) = 2100↓
따라서, F지역이 C지역보다 적다.

답 (O, O)

곱셈(복습)-02 (제작 문제)

다음 〈표〉는 2022년 1학기 A대학의 기초과목의 수강인원 및 과락비율에 관한 자료이다. 이에 대한 〈설명〉의 정오는?

〈표〉 기초과목의 수강인원 및 과락 비율 현황

(단위: 명, %)

구분 / 과목	수강인원	과락 비율
기초 미적분학	860	35
기초 물리학	760	35
기초 화학	580	15
기초 생물학	380	25
기초 프로그래밍	680	45

※ 수강인원은 수료와 과락으로만 구성됨.

설명

1. 과락 인원은 기초 미적분학이 기초 프로그래밍보다 많다. (O, X)

2. 수료 인원은 기초 화학이 기초 물리학보다 적다. (O, X)

✓ 자료

✓ 설명

▸ 목적 파트는?

▸ 정보 파트는?

▸ 정오 파트는?

관점 적용하기

1. (X) 과락 인원 = 수강인원 × 과락 비율
   기초 미적분학 = 860 × 35% = 800×35% + 60×35% = 280 + 21 = 301
   기초 프로그래밍학 = 680 × 45% = 600×45% + 80×45% = 270 + 36 = 306
   따라서, 기초 미적분학이 기초 프로그래밍보다 적다.
2. (O) 수료 인원 = 수강인원 × (1−과락 비율)
   기초 화학 = 580 × 85% = 600×85% − 20×85% = 510 − 17 = 493
   기초 물리학 = 760 × 65% = 800×65% − 40×65% = 520 − 26 = 494
   따라서, 기초 화학이 기초 물리학보다 적다.

답 (X, O)

3 세팅편의 복습 - 분수

Q 분수는 어떤 관점으로 봐야 하나요?

분수도 당연히 비교에 집중해야 한다.
높은 자릿수 위주로 집중하여 정확한 값을 도출하려 하기보단, 비교 자체에 목적을 두는 것이 매우 중요하다.

분수도 위에서 배운 곱셈과 유사하다.
분수와 '고정값'을 비교하는 형태에서도, 여러분이 분수의 결과 값을 짐작하는 능력이 자체가 없다면,
비교의 대상이 '고정값'의 형태로 주어졌다고 하여도, 비교의 결과를 생각하는 것이 결코 쉽지 않을 것이다.
따라서, 위에 주어진 숫자 암기를 매우 매우 열심히 해야 한다.

또한, 분수 역시도 비교라는 큰 틀을 따르기 위해서는 아래의 순서를 따라야 한다.
1) 비교를 위한 고정값의 유무를 판단하고, 고정값이 없다면 고정값을 만든다.
2) 고정값을 통해서 '비교'를 한다.

여기서 고정값을 만들기 위해서는 아래의 5가지 관점이 필요하다.
① 곱셈의 역
② 여집합적 사고
③ 단위 조절
④ 플마 찢기
⑤ 곱셈 찢기

분수를 보는 5가지 관점은 모두 대략적인 값을 만들기 위한 관점이다.
그러나, 이중 플마 찢기의 경우 고정값이 존재하는 경우와 비교하기 위한 매우 좋은 관점이므로,
고정값이 존재한다면, 플마 찢기를 통해서 접근해보자.

Q 관점.1 (곱셈의 역)

통상적으로 우리는 분수값을 읽어 낼 때,

$\frac{362}{858}$라는 분수값이 있다면, 362÷858은 얼마일까? 라는 형태로 생각하며 접근한다.

그러나, 자료해석에서는 우리가 곱셈을 역으로 생각하는 방식으로 접근을 하길 원한다.

즉, 우리가 접근할 방법은 858에다가 얼마쯤을 곱하면 362이라는 숫자가 나올 것인가?라는 방식이다.

85에다가 4를 곱하면 대략 340이고, 5를 곱하면 425이니까.

362이라는 숫자는 40%보다 조금 큰 숫자이겠구나.라는 식으로 접근을 해야 한다.

Q 관점.2 (여집합적 사고)

곱셈의 값을 보면 ×2~×5까지에 대한 값만을 암기하도록 안내됐다.

그러나, $\frac{452}{683}$와 같은 분수가 있다면, 68×5 = 340이므로, 분수 값을 읽어 내는 것이 어렵게 된다.

이럴 때 사용되는 관점이 여집합적 사고이다.

683이라는 수를 '전체' 라고 생각하고, 452를 전체의 일부분이라고 생각하는 것이다.

그렇다면, 683 = 452(A) + 231(Ac) 이라고 생각할 수 있고, 이것을 분수꼴로 만들면, $\frac{452}{683} = \frac{683}{683} - \frac{231}{683}$이 된다.

즉, 100%에서 $\frac{231}{683}$(30%~40%, 조금더 정밀하게는 30%에 가까운 값)가 빠진 값이라고 생각할 수 있다.

즉, $\frac{452}{683}$ = 60%~70%(조금 더 정밀하게는 70%에 가까운 값)이다.

Q 관점.3 (단위 조절)

분수 값을 보았을 때 결코 친숙하게 느껴지지 않는 경우가 있다.

예를 들어, $\frac{31}{1587}$라는 분수값이 친숙하게 느껴지지 않는다면, 분자와 분모의 단위를 조절해보자.

그렇다면 훨씬 더 친숙하게 느낄 수 있게 된다. $\frac{31}{1587} \rightarrow \frac{310}{1587}$

(※ 단, 단위를 조절할 때는, 모든 비교대상의 단위를 같이 조절해 주어야 한다.)

Q 관점.4 (플마 찢기)

우리가 암기한 값 중에는 분수값들이 존재하고, 이 분수값들을 이용하여 분수값을 읽어 낼 수 있다.
예를 들어, $\frac{765}{1535}$라는 값이 있다면, 여기서 우리가 암기한 $\frac{700}{1500}$과 나머지 $\frac{65}{35}$로 나누어 생각할 수 있다.
즉, $\frac{765}{1535}=\frac{700+65}{1500+35}$라고 생각할 수 있는 것이다. 여기서 $\frac{700}{1500}$=46.66%이고, $\frac{65}{35}$=46.66%보다 크다.
$\frac{765}{1535}$는, 46.66%와 46.66%보다 큰 수로 구성된 분수이므로, 당연히 46.66%보다 크다는 것을 알 수 있다.

> ✽ 알아 두기-플마 찢기를 이용한 정밀한 분수값 읽기
>
> ex) $\frac{765}{1535}$의 값을 정밀하게 읽어보자.
>
> $\frac{765}{1535}=\frac{700+65}{1500+35}$ → 46.66%와 대략 200%로 구성된 분수,
> 각 분수가 주는 영향력의 크기는 분모크기에 비례한다.
> 즉, 46.66%가 주는 영향은 1500, 약 200%가 주는 영향은 35이다. → 약 40배의 영향력 차이
> → $\frac{700}{1500}$에서의 1%는 $\frac{65}{35}$에서 40%와 같다는 것이다.
> 따라서, 200%는 46.66%보다 150%정도 크기 때문에, 46.66%를 3%정도 올려줄 수 있다.
> 즉, $\frac{765}{1535}$는 50%에 매우 가까운 값이라는 것을 알 수 있다.

$\frac{765}{1535}$를 $\frac{700+65}{1500+35}$로 찢어 냈지만, 저 방법 말고도 더 다양한 방법으로 찢어 내는 것도 가능하다.
예를 들어, $\frac{750+15}{1500+35}$로 찢는 것도 가능하다는 것이다.
그렇다면, 어떻게 찢어 내야 가장 효율적으로 찢을 수 있을까?

> ✽ 알아 두기-효율적인 플마 찢기를 위한 규칙
>
> ① 비교값을 이용하여 플마 찢기를 한다. 만약, 값이 없다면 기준값을 이용한다.
> ② 기준값을 만들기 위해서 플마 찢기를 할때는 영향력 차이를 최대한 크게 만들어 찢어 낸다.
> 또한 찢은 분수들의 분수값 차이가 작으면 작을수록 좋다.
> ex) $\frac{700+65}{1500+35}$=46.66%~200%, $\frac{750+15}{1500+35}$=50%~42.86%
> 둘의 영향력 차이는 동일하나, 후자가 분수값의 차이는 더 작다.

Q 관점.5 (곱셈 찢기)

플마 찢기를 더 효율적으로 사용하기 위해서는 곱셈 찢기(인수분해)를 추가하여 사용하는 것이 좋다.

예를 들어, $\frac{2836}{4875}$에 플마 찢기를 적용해보자.

$\frac{2000+836}{4000+875}$말고는 딱히 예쁜 숫자가 보이지 않을 것이다.

허나, 곱셈 찢기를 추가하여 생각하면, $\frac{28}{48}=\frac{7\times4}{12\times4}$=58.33%라는 것을 알 수 있다.

따라서, $\frac{2000+836}{4000+875}$ 대신에, $\frac{2800+36}{4800+75}$으로도 숫자를 찢어낼 수 있다.

$\frac{2000+836}{4000+875}$ → 영향력 차이는 대략 4~5배, 분수값은 50% ~ 약100%으로 차이가 약 50%

$\frac{2800+36}{4800+75}$ → 영향력 차이는 대략 60~70배, 분수값은 약50% ~ 58.33%으로 차이가 약 10%

즉, $\frac{2800+36}{4800+75}$가, $\frac{2000+836}{4000+875}$보다 효율적인 플마 찢기를 위한 규칙에 더욱 알맞다.

$\frac{2800+36}{4800+75}$을 이용해서 분수값을 읽어본다면,

영향력이 큰 $\frac{2800}{4800}$이 58.33%이고, 둘의 영향력 차이가 매우 크며, 두 분수값의 차이가 크지 않으므로,

58.33%에 매우 근접했다는 것을 알 수 있다. (※ $\frac{2836}{4875}$=58.17%)

곱셈 찢기는 곱셈의 관점에서 배운 증가, 감소로 생각하기도 적용할 수 있다.

예를 들어서 $\frac{24}{70}$이 있다면, $\frac{20\times1.2}{70}$=28.5714 × 1.2라고 생각할 수 있다.

※ 알아 두기 – 곱셈 찢기로 보는 증가와 감소

① 분자의 증가와 감소

$\frac{240}{700}$ → $\frac{200\times1.2}{700}$ → 28.57%×1.2 → 28.57%에서 20% 증가한 값 (대략 5.7%)

따라서, $\frac{240}{700}$=28.57%+5.7% ≒ 34%

② 분모의 증가와 감소

$\frac{200}{630}$ → $\frac{200}{700\times0.9}$ → $\frac{28.57\%}{0.9}=x$ → $x\times0.9$=28.57%라고 생각

→ x에서 10% 감소한 값이 28.57% → x는 대략 31%

따라서, $\frac{200}{630}$ ≒ 31%

Q 플마 찢기의 확장 (마이너스 찢기)

앞에서는 $\frac{C+D}{A+B}$로 찢는 것만을 생각했는데, 이번에는 $\frac{C-D}{A-B}$의 형태로 확장해보자.

$\frac{C+D}{A+B}$로 찢는다는 것은 농도 $X(\frac{C}{A})$의 소금물에 농도 $Y(\frac{D}{B})$의 소금물을 추가한 것이다.

만약, $X(\frac{C}{A}) > Y(\frac{D}{B})$라면,

원래의 농도 X보다 낮은 농도의 Y가 추가된 것이므로, 농도는 내려간다.

→ 이해하기 어렵다면, 소금물에 물을 추가 했다고 생각하자.

만약, $X(\frac{C}{A}) < Y(\frac{D}{B})$라면,

원래의 농도 X보다 높은 농도의 Y가 추가된 것이므로, 농도는 올라간다.

→ 이해하기 어렵다면, 소금물에 소금을 추가 했다고 생각하자.

$\frac{C-D}{A-B}$로 찢는 다는 것은 농도 $X(\frac{C}{A})$의 소금물에 농도 $Y(\frac{D}{B})$의 소금물을 빼낸 것이다.

만약, $X(\frac{C}{A}) > Y(\frac{D}{B})$라면,

원래의 농도 X보다 낮은 농도의 Y가 빠진 것이므로, 농도는 올라간다.

→ 이해하기 어렵다면, 소금물에 물을 뺐다고 생각하자.

만약, $X(\frac{C}{A}) < Y(\frac{D}{B})$라면,

원래의 농도 X보다 높은 농도의 Y가 빠진 것이므로, 농도는 내려간다.

→ 이해하기 어렵다면, 소금물에 소금을 뺐다고 생각하자.

	$\frac{C}{A} > \frac{D}{B}$	$\frac{C}{A} < \frac{D}{B}$
$\frac{C+D}{A+B}$	물을 추가하여 농도 내려감	소금을 추가하여 농도 올라감
$\frac{C-D}{A-B}$	물을 빼내서 농도 올라감	소금을 빼내서 농도 내려감

※ 노래로 배우는 플마 찢기

플러스는 넣는 거~ 마이너슨 빼는 거~
작은 것은 물이야~ 큰 것은 솔트야~
물 넣으면 연해져~ 물 빼면 진해져~
솔트 넣으면 진해져~ 솔트 빼면 연해져~
이것이 바로~ 플마~찢기! 플마~찢기!

연습하기 [분수]

■ 문제지 (플마 찢기를 통해서 대소를 비교하세요.

01)	$\frac{378}{2431}$	○	15%	16)	$\frac{2808}{6803}$	○	40%	31)	$\frac{2163}{2836}$	○	75%	56)	$\frac{2184}{3415}$	○	65%
02)	$\frac{1101}{1265}$	○	85%	17)	$\frac{2843}{3989}$	○	70%	32)	$\frac{4386}{6543}$	○	65%	57)	$\frac{5401}{9732}$	○	55%
03)	$\frac{6365}{6665}$	○	95%	18)	$\frac{1832}{5858}$	○	30%	33)	$\frac{1041}{9235}$	○	10%	58)	$\frac{1852}{7262}$	○	25%
04)	$\frac{3250}{4512}$	○	70%	19)	$\frac{4157}{6422}$	○	65%	34)	$\frac{1277}{9150}$	○	15%	59)	$\frac{4120}{4776}$	○	85%
05)	$\frac{3120}{6743}$	○	45%	20)	$\frac{4785}{5647}$	○	85%	35)	$\frac{4693}{4875}$	○	95%	50)	$\frac{568}{1773}$	○	30%
06)	$\frac{5334}{9352}$	○	55%	21)	$\frac{7644}{9587}$	○	80%	36)	$\frac{4004}{5680}$	○	70%	51)	$\frac{792}{3304}$	○	25%
07)	$\frac{5751}{8248}$	○	70%	22)	$\frac{2304}{8520}$	○	25%	37)	$\frac{4466}{5856}$	○	75%	52)	$\frac{2811}{5741}$	○	50%
08)	$\frac{3673}{6230}$	○	60%	23)	$\frac{5974}{6156}$	○	95%	38)	$\frac{783}{8733}$	○	10%	53)	$\frac{7147}{7897}$	○	90%
09)	$\frac{7013}{9384}$	○	75%	24)	$\frac{6428}{9589}$	○	65%	39)	$\frac{952}{6140}$	○	15%	54)	$\frac{5305}{9693}$	○	55%
10)	$\frac{1226}{8320}$	○	15%	25)	$\frac{7499}{9832}$	○	75%	40)	$\frac{1693}{2375}$	○	70%	55)	$\frac{2579}{3044}$	○	85%
11)	$\frac{2468}{9127}$	○	25%	26)	$\frac{638}{2427}$	○	25%	41)	$\frac{1362}{5039}$	○	25%	56)	$\frac{7809}{8778}$	○	90%
12)	$\frac{3677}{9256}$	○	40%	27)	$\frac{2400}{3040}$	○	80%	42)	$\frac{1557}{2258}$	○	70%	57)	$\frac{2163}{2485}$	○	85%
13)	$\frac{1284}{7893}$	○	15%	28)	$\frac{4161}{5839}$	○	70%	43)	$\frac{5315}{8309}$	○	65%	58)	$\frac{6080}{8053}$	○	75%
14)	$\frac{1753}{6672}$	○	25%	29)	$\frac{1898}{5923}$	○	30%	44)	$\frac{3920}{4824}$	○	80%	59)	$\frac{3274}{4644}$	○	70%
15)	$\frac{1598}{2919}$	○	55%	30)	$\frac{1825}{5837}$	○	30%	45)	$\frac{1871}{5159}$	○	35%	60)	$\frac{3073}{3854}$	○	80%

■ 답안지

01)	15.55%	16)	41.27%	31)	76.27%	46)	63.96%
02)	87.04%	17)	71.27%	32)	67.04%	47)	55.50%
03)	95.50%	18)	31.27%	33)	11.27%	48)	25.50%
04)	72.04%	19)	64.73%	34)	13.96%	49)	86.27%
05)	46.27%	20)	84.73%	35)	96.27%	50)	32.04%
06)	57.04%	21)	79.73%	36)	70.50%	51)	23.96%
07)	69.73%	22)	27.04%	37)	76.27%	52)	48.96%
08)	58.96%	23)	97.04%	38)	8.96%	53)	90.50%
09)	74.73%	24)	67.04%	39)	15.50%	54)	54.73%
10)	14.73%	25)	76.27%	40)	71.27%	55)	84.73%
11)	27.04%	26)	26.27%	41)	27.04%	56)	88.96%
12)	39.73%	27)	78.96%	42)	68.96%	57)	87.04%
13)	16.27%	28)	71.27%	43)	63.96%	58)	75.50%
14)	26.27%	29)	32.04%	44)	81.27%	59)	70.50%
15)	54.73%	30)	31.27%	45)	36.27%	60)	79.73%

연습하기 [분수]

■ 문제지

[※ 심심하시면, 분모의 영향을 이용하여 정밀한 분수값도 확인해보세요. 단, 여러분의 멘탈을 책임지지 않습니다.]

문제지	어림셈	정밀셈	문제지	어림셈	정밀셈
01) $\frac{4018}{4241}$ =			16) $\frac{1893}{5209}$ =		
02) $\frac{8321}{9001}$ =			17) $\frac{4025}{4824}$ =		
03) $\frac{1537}{5585}$ =			18) $\frac{4015}{8846}$ =		
04) $\frac{2600}{3218}$ =			19) $\frac{1439}{1942}$ =		
05) $\frac{1031}{1369}$ =			20) $\frac{1671}{4300}$ =		
06) $\frac{1675}{9919}$ =			21) $\frac{5605}{9869}$ =		
07) $\frac{1460}{9222}$ =			22) $\frac{556}{1893}$ =		
08) $\frac{563}{4321}$ =			23) $\frac{1464}{7781}$ =		
09) $\frac{315}{2609}$ =			24) $\frac{7035}{7583}$ =		
10) $\frac{2144}{4026}$ =			25) $\frac{1567}{3795}$ =		
11) $\frac{1852}{2903}$ =			26) $\frac{4089}{6597}$ =		
12) $\frac{1073}{5881}$ =			27) $\frac{3993}{4576}$ =		
13) $\frac{4539}{6662}$ =			28) $\frac{6423}{9262}$ =		
14) $\frac{3284}{5486}$ =			29) $\frac{849}{1637}$ =		
15) $\frac{2769}{4928}$ =			30) $\frac{3756}{4295}$ =		

■ 답안지

01)	94.75%	11)	63.78%	21)	56.79%
02)	92.45%	12)	18.24%	22)	29.35%
03)	27.52%	13)	68.14%	23)	18.82%
04)	80.79%	14)	59.87%	24)	92.77%
05)	75.32%	15)	56.18%	25)	41.29%
06)	16.89%	16)	36.35%	26)	61.98%
07)	15.83%	17)	83.43%	27)	87.27%
08)	13.04%	18)	45.39%	28)	69.35%
09)	12.09%	19)	74.11%	29)	51.87%
10)	53.26%	20)	38.87%	30)	87.45%

연습하기 [분수]

■ 문제지

[※ 심심하시면, 분모의 영향을 이용하여 정밀한 분수값도 확인해보세요. 단, 여러분의 멘탈을 책임지지 않습니다.]

문제지	어림셈	정밀셈	문제지	어림셈	정밀셈
01) $\frac{2823}{8107}$ =			16) $\frac{3801}{4209}$ =		
02) $\frac{6336}{9300}$ =			17) $\frac{1536}{2991}$ =		
03) $\frac{1926}{4053}$ =			18) $\frac{815}{4251}$ =		
04) $\frac{5591}{6451}$ =			19) $\frac{3397}{8350}$ =		
05) $\frac{2355}{2423}$ =			20) $\frac{3530}{4036}$ =		
06) $\frac{8014}{8364}$ =			21) $\frac{2501}{5610}$ =		
07) $\frac{3659}{4299}$ =			22) $\frac{1866}{8148}$ =		
08) $\frac{1219}{4642}$ =			23) $\frac{3438}{6852}$ =		
09) $\frac{6651}{8394}$ =			24) $\frac{1000}{2856}$ =		
10) $\frac{4960}{8322}$ =			25) $\frac{6165}{7021}$ =		
11) $\frac{3875}{4006}$ =			26) $\frac{5188}{6545}$ =		
12) $\frac{637}{4922}$ =			27) $\frac{1561}{2082}$ =		
13) $\frac{3679}{8503}$ =			28) $\frac{2970}{5295}$ =		
14) $\frac{2276}{4383}$ =			29) $\frac{4494}{6036}$ =		
15) $\frac{6237}{7847}$ =			30) $\frac{2426}{5730}$ =		

■ 답안지

01)	34.82%	11)	96.73%	21)	44.58%
02)	68.13%	12)	12.94%	22)	22.90%
03)	47.53%	13)	43.27%	23)	50.17%
04)	86.67%	14)	51.92%	24)	35.01%
05)	97.19%	15)	79.48%	25)	87.81%
06)	95.82%	16)	90.31%	26)	79.26%
07)	85.11%	17)	51.35%	27)	74.98%
08)	26.26%	18)	19.17%	28)	56.09%
09)	79.24%	19)	40.68%	29)	74.45%
10)	59.60%	20)	87.47%	30)	42.34%

분수(복습)-01 (제작 문제)

다음 〈표〉는 지역별 체육활동 비참여 이유에 대한 설문조사 자료이다. 이에 대한 〈설명〉의 정오는?

〈표〉 지역별 체육활동 비참여 이유

(단위: 명)

구분 / 지역	조사인원	비참여 사유			
		시간	관심	비용	건강
A	2,236	1,603	919	275	476
B	4,153	2,301	1,101	1,175	1,051
C	6,123	3,172	2,859	3,264	937
D	5,982	4,014	3,176	1,322	969
E	7,865	5,002	1,927	4,098	1,439
F	8,233	3,886	3,137	2,783	1,745

설명

1. 비참여 사유가 시간이라고 응답한 비율이 65%가 넘는 지역은 3곳이다. (O, X)
2. 비참여 사유가 건강이라고 응답한 비율이 25%가 넘는 지역은 없다. (O, X)

✓ 자료

✓ 설명

▸ 목적 파트는?

▸ 정보 파트는?

▸ 정오 파트는?

관점 적용하기

1. (X) 비참여 사유가 시간이라고 응답한 비율이 60%가 넘는 지역은 A, D, E뿐이므로, A, D, E가 65%가 넘는지를 확인해야 한다.

   $A = \frac{1603}{2236} = \frac{1300+303}{2000+236} > 65\%$, $D = \frac{4014}{5982} > 65\%$ $(4/6 > 66\%)$, $E = \frac{5002}{7865} = \frac{3900+1102}{6000+1865} < 65\%$

   A, D, E 중 A와 D만 65%를 넘기므로, 2곳이다.

2. (X) 비참여 사유가 시간이라고 응답한 비율이 25%가 넘는 지역이 없다고 하였으므로, 고정값 25%(1/4)을 기준으로 살펴본다.

   $B = \frac{1051}{4153} = \frac{1000+51}{4000+153} > 25\%$이므로, 25%가 넘는 지역이 존재한다.

답 (X, X)

분수(복습)-02 (제작 문제)

다음 〈표〉는 2022년 업종별 산업 재해 현황에 대한 자료이다. 이에 대한 〈설명〉의 정오는?

〈표〉 업종별 산업 재해 현황

(단위: 천명, 명)

구분 업종	근로자 수	산업 재해자	사망자 수
A	2,284	26,799	512
B	3,238	12,521	76
C	3,406	18,592	105
D	8,308	28,081	251
E	936	7,251	40
F	914	1,711	52

설명

1. 근로자 만명당 산업 재해자는 D지역보다 B지역이 많다. (O, X)

2. 산업 재해자 중 사망자가 차지하는 비율은 C지역보다 E지역이 작다. (O, X)

✓ 자료

✓ 설명

▸ 목적 파트는?

▸ 정보 파트는?

▸ 정오 파트는?

관점 적용하기

1. (O) 근로자 만명당 산업재해자 = 산업재해자 ÷ 근로자 수, 인구 만명당은 비교이기 때문에 영향을 주지 않는다.

   D 지역 = $\frac{28081}{8308} = \frac{28000+81}{8000+308}$ = 3.5↓, B 지역 = $\frac{12521}{3238} = \frac{7000+5521}{2000+1238}$ = 3.5↑

   따라서, D지역보다 B지역이 많다. (※ B지역을 $\frac{3}{8}$기준으로 보는 것도 매우 좋다.)

   (※ 만약 잘 보이지 않는다면, 단위를 조절해서 나에게 친숙한 숫자의 형태로 변환시키자. 그래도 보이지 않는다면 곱셈의 역으로 보자.)

2. (O) 산업재해자 중 사망자 = 사망자 ÷ 산업재해자

   C 지역 = $\frac{105}{18592} = \frac{100+5}{18000+592}$ = 0.55%↑ E 지역 = $\frac{40}{7251} = \frac{40+0}{7200+51}$ = 0.55%↓

   따라서, C지역보다 E지역이 작다.

   (※ 만약 잘 보이지 않는다면, 단위를 조절해서 나에게 친숙한 숫자의 형태로 변환시키자)

답 (O, O)

관점 익히기

01 4가지 관점
02 곱셈 비교
03 분수 비교
04 관점 익히기 [Drill]

문제풀이 시간을 줄이고 싶다면,
계산량을 줄이기 위한 4가지 관점을 익혀야 한다.

1 4가지 관점

Q 관점이란 무엇인가요?

세팅편에서도 계속 강조한 것처럼 우리가 해야 할 것은 '비교'이다.
비교시에 계산의 양을 줄여주는 것이 바로 '관점'이다.
따라서 '관점'을 적용하며 설명의 정오를 판단하면 평소보다 적은 계산량으로 비교할 수 있다.

$$\frac{\text{계산량}\downarrow}{\text{계산실력}\uparrow} \rightarrow \text{풀이 시간}\downarrow$$

※ 재미로 보는 계산량의 중요성	
계산실력을 50% 증가시킨다면? → $\frac{\text{계산량}}{\text{계산실력}\times(1+0.5)} = 0.66\times\text{풀이 시간}$ → 풀이 시간 34% 감소	계산량을 50% 감소시킨다면? → $\frac{\text{계산량}\times(1-0.5)}{\text{계산실력}} = 0.50\times\text{풀이 시간}$ → 풀이 시간 50% 감소

Q 4가지 관점이란 무엇인가요?

관점은 총 4개로 구성된다.

관점.1 후보군

설명에서 해야 할 것은 오직 1가지 정오의 판단이다. (※ 반례 확인)
정오를 판단하기 위해 정확한 값의 계산이 필요하지 않다.
오직 정오를 판단하기 위한 최적의 동선으로 접근하자.

관점.2 계산의 2단계

계산에는 단계가 존재한다.
1단계 논리적 사고와 어림셈
2단계 비교 테크닉과 정밀셈

관점.3 계산이 아닌 가공

해야 할 것은 비교를 통한 정오판단이다.
비교를 통한 정오판단이 잘 보이지 않는다면,
논리적인 가공을 통해 접근의 관점을 변화시켜 정오를 판단하자.

관점.4 공통과 차이

비교에 영향을 주는 것은 오직 차이뿐이다.
공통부분과 차이부분을 찾고
공통은 무시하고 차이에 집중하자.

Q ‘비교’를 잘 하기 알아야 할 추가적인 부분은 없나요?

비교를 잘 하기 위해서 중요한 것 중 하나는 ‘숫자에 대한 인식’이다.
인간이라면 누구나 큰 숫자를 보고 위축되는 경험을 하게 되는데 이것은 본능적인 것이다.
우리는 문제를 자료해석을 풀어내야 하는 입장이기 때문에 큰 숫자를 봐야만 한다.

그렇다면 큰 숫자를 보는 것을 어떻게 해야 할까?
특별한 몇몇 사람을 제외하고는 본능을 이겨내는 것은 매우 어렵다.
그렇기에, 본능을 이겨내려고 노력하지 말고, ‘비교’를 위한 숫자 인식을 해야 한다.
비교를 위해서 숫자를 인식하기 위해서는 높은 자릿수, 그중에서 앞의 3개의 숫자만 신경쓰면 된다.

아래의 표는 자릿수에 따른 영향력에 대한 자료이다.

	최대 영향력 (최대 비중)			최소 영향력 (최소 비중)		
만의 자리	$\frac{90,000}{90,000}$	≒	100.00%	$\frac{10,000}{19,999}$	≒	50.00%
천의 자리	$\frac{9,000}{19,000}$	≒	47.37%	$\frac{1,000}{91,999}$	≒	1.09%
백의 자리	$\frac{900}{10,900}$	≒	8.23%	$\frac{100}{99,199}$	≒	0.10%
십의 자리	$\frac{90}{10,090}$	≒	0.89%	$\frac{10}{99,919}$	≒	0.01%
일의 자리	$\frac{9}{10,009}$	≒	0.09%	$\frac{1}{99,991}$	≒	0.00%

그렇게 높은 자릿수 기준 앞의 3개의 숫자만 인식한 후, 필요에 따라서 자릿수까지 생각해주면 된다.

예를 들어 3,845,125라는 숫자가 있다면, 3,84-,---라고 인식하고,
필요에 따라서 최고 자릿수가 백만이므로 384만이라고 생각하면 된다.
또 다른 예로는 189,168 (백만)라는 숫자가 있다면, 189,---백만 이라고 인식하고,
필요에 따라서 최고자릿수가 십만×백만 = 천억이므로, 1890억이라고 인식하면 된다.

※ 자릿수 암기

1 ,000 ,000 ,000 ,000 ,000
↑천조 ↑조 ↑십억 ↑백만 ↑천

앞＼뒤	십	백	천
십	십×십 = 백	십×백 = 천	십×천 = 만
백	백×십 = 천	백×백 = 만	백×천 = 십만
천	천×십 = 만	천×백 = 십만	천×천 = 백만

4가지 관점 - 01. 후보군

Q 후보군이란 무엇인가요?

첫 번째 관점인 후보군을 이해하기 위해 아래의 예시 문제를 풀어보자.

$$\frac{956}{993}, \frac{441}{392}, \frac{893}{740}, \frac{1171}{769}$$

Q 위의 분수 중에 가장 큰 것은 $\frac{441}{392}$ 인가?

혹시 위 Q를 해결하기 위해 가장 큰 분수가 $\frac{1171}{769}$라는 사실을 찾았는가?

가장 큰 분수를 찾는다는 관점으로 접근했다면 $\frac{893}{740}$와 $\frac{1171}{769}$의 크기를 비교하기 어려웠을 것이다.

그런데 위의 Q에서 의도하는 것이 정말로 가장 큰 분수($\frac{893}{740}$)를 찾으라는 것일까?

그렇지 않다. Q에서 물어본 것은 엄밀하게 따지면 $\frac{441}{392}$이 가장 큰 지에 대하여 물은 것이지
가장 큰 것이 무엇인지 물어본 것이 아니다.

따라서, $\frac{441}{392}$보다 큰 분수가 있는지 확인하는 '관점'으로 접근하면 옳지 않다는 것을 훨씬 쉽게 알 수 있다.

그렇다. 선지가 우리에게 요구하는 것은 단 한 가지, '정오판단'뿐이다.
따라서 선지가 물어보는 것이 무엇인지 따져보고, 오직 정오만 판단하는 '관점'으로 접근해야 한다.

Tip

정오를 판단할 때 실제로 선지의 문장이 옳은 문장인지를 판단하는 것보다 선지의 문장에 '반례가 없는가?'라는 관점으로 접근하는 것이 더욱 빠른 경우가 종종 있다.

이 때, 정오판단의 대상 또는 반례의 기준을 후보군이라고 하자.

예를 들어, 위의 Q의 후보군은 $\frac{441}{392}$이다.

설명에서 해야 할 것은 오직 1가지 정오의 판단이다. (※ 반례 확인)
정오를 판단하기 위해 정확한 값의 계산이 필요하지 않다.
오직 정오를 판단하기 위한 최적의 동선으로 접근하자.

Q 설명의 형태에 따른 후보군

1) A는 B의 n배 이상, n% 이상/이하이다.
→ 판별 방법: $\frac{B}{A}$와 고정된 숫자(n)과 비교할 때 옳은 문장인가? (n을 후보로 생각하여 반례 찾기)
2) A가 n등이다. (1등인 경우 가장 크다. 꼴등일 경우 가장 작다.)
→ 판별 방법: A보다 더 큰/작은 값이 몇 개 있는가? (A를 후보로 생각하여 반례찾기)
3) A와 n을 비교하는 경우
→ 판별 방법: 특정값(n)을 대입했을 때 일치하는가? (A에 n(후보)을 대입하여 반례찾기)
4) A가 클수록 B도 크다.
→ 판별 방법: A는 증가했는데 B는 감소한 부분이 존재하지 않는가? (반례찾기)
5) A는 매년 증가/감소한다.
→ 판별 방법: A가 감소/증가한 곳이 존재하지 않는가? (반례찾기)

예시문제

다음 〈표〉는 '갑'기업 실무진의 직급별 인원 구성에 대한 자료이다. 이에 대한 〈설명〉의 정오는?

〈표〉 '갑'사 실무진의 직급별 인원 구성

구분 직급	전체	남성	여성
팀장	56	36	20
대리	239	161	78
사원	123	66	57
전체	418	263	155

설명

1. 남성의 비율이 가장 높은 실무진은 사원이다.
(O, X)

2. 전체 실무진중 사원이 차지하는 비율은 30% 이상이다.
(O, X)

자료

설명

▸목적 파트는?

▸정보 파트는?

▸정오 파트는? (사용한 관점은?)

관점 적용하기

1. (X) 남성의 비율

후보군 = 사원 → 사원($\frac{66}{123}$) = 50~60% → 해야 할 것은 오직 정오판단

다른 실무진중 60% 보다 높은 비율을 지닌 직급이 있을까? → 팀장 60% 이상 → 사원이 가장 높지 않다.

Q1. 가장 높은 직급이 무엇인지 알아야 할 필요가 있을까?

2. (X) 전체 실무진 중 사원의 비율

후보군 = 30%, 고정된 값이므로, 플마 찢기를 이용하자. $\frac{123}{418} = \frac{120+3}{400+18}$ 〈 30% → 30% 이하이다.

Q2. 실무진 중 사원이 차지하는 정확한 비율을 알아야 할 필요가 있을까?

답 (X, X)

적용문제-01 (5급 17-28)

다음 〈표〉는 세조 재위기간 중 지역별 흉년 현황을 나타낸 것이다. 이에 대한 〈설명〉의 정오는?

〈표〉 세조 재위기간 중 지역별 흉년 현황

재위년 \ 지역	경기	황해	평안	함경	강원	충청	경상	전라	흉년 지역 수
세조1	×	×	×	×	×	○	×	×	1
세조2	○	×	×	×	×	○	○	×	3
세조3	○	×	×	×	×	○	○	○	4
세조4	○	( )	( )	( )	×	( )	×	( )	4
세조5	○	( )	○	○	○	×	×	×	( )
세조8	×	×	×	×	○	×	×	×	1
세조9	×	○	×	( )	○	×	×	×	2
세조10	○	×	×	○	○	○	×	×	4
세조12	○	○	○	×	○	○	×	×	5
세조13	○	×	( )	×	○	×	×	( )	3
세조14	○	○	×	×	○	( )	( )	×	4
흉년 빈도	8	5	( )	2	7	6	( )	1	

※ 1) ○(×): 해당 재위년 해당 지역이 흉년임(흉년이 아님)을 의미함.
2) 〈표〉에 제시되지 않은 재위년에는 흉년인 지역이 없음.

설명

1. 흉년 빈도가 네 번째로 높은 지역은 평안이다.

(O, X)

✔ 자료

✔ 설명

▸ 목적 파트는?

▸ 정보 파트는?

▸ 정오 파트는? (사용한 관점은?)

간단 퀴즈

Q 후보는 무엇일까?

A 평안

관점 적용하기

1. (X) 네 번째로 높은 지역은 평안이다 = 평안 지역보다 높은 곳은 3지역뿐이다.
나머지 지역을 흉년빈도순으로 살펴보면 경기(8), 강원(7), 충청(6) 황해(5)이다.
즉 평안보다 흉년빈도가 높은 곳이 3곳뿐이려면 평안은 5번의 흉년이 발생했어야 한다.
그러나 평안의 경우, 주어진 O가 2개, 빈칸이 2개이므로 빈칸을 모두 O로 채워도 최대 흉년 빈도는 4번뿐이다.

답 (X)

적용문제-2 (민경채 16-17)

다음 〈표〉는 임차인 A～E의 전·월세 전환 현황에 대한 자료이다. 이에 대한 〈설명〉의 정오는?

〈표〉 임차인 A~E의 전·월세 전환 현황

(단위: 만원)

임차인	전세금	월세보증금	월세
A	( )	25,000	50
B	42,000	30,000	60
C	60,000	( )	70
D	38,000	30,000	80
E	58,000	53,000	( )

※ 전·월세 전환율(%) = $\frac{\text{월세} \times 12}{\text{전세금} - \text{월세보증금}} \times 100$

설명

1. A의 전·월세 전환율이 6%라면 전세금은 3억 5천만원이다. (O, X)

2. C의 전·월세 전환율이 3%라면 월세보증금은 3억 6천만원이다. (O, X)

자료

설명

▸ 목적 파트는?

▸ 정보 파트는?

▸ 정오 파트는? (사용한 관점은?)

간단 퀴즈

Q 가정형 설명에서 가정은 무엇을 의미하는가?

A 자료에 주어지지 않은 정보 파트

관점 적용하기

1. (O) A의 전월세 전환율이 6%라면 전세금은 3억 5천만 원이다.
   = A의 전세금이 3.5억일 때 전월세 전환율은 6%이다.
   $\frac{50 \times 12}{35,000 - 25,000} = \frac{600}{10,000}$ = 6%이므로 옳다.
2. (X) C의 보증금이 3.6억 원일 때 전월세 전환율이 3%이다.
   $\frac{70 \times 12}{60,000 - 36,000} = \frac{70 \times 12}{24,000} = \frac{70}{2,000}$ = 3.5%이므로 옳지 않다.

답 (O, X)

적용문제-3 (제작 문제)

다음 〈표〉는 지역별 재정자립도에 대한 자료이다. 이에 대한 〈설명〉의 정오는?

〈표〉 2014~2016년 지역별 재정 자립도

(단위: %)

지역 \ 연도	2014	2015	2016
A	78.5	77.6	78.2
B	72.2	75.2	73.2
C	75.3	74.6	74.2
D	69.8	69.2	70.1
E	71.3	71.5	71.8
F	64.7	63.2	60.2
G	38.6	40.2	41.2
H	61.6	63.2	65.3
I	39.5	39.5	39.6
J	45.6	45.5	45.5
전국	53.7	53.6	53.8

※ 전국은 A~J지역만으로 구성됨.

설명

1. 2014년 전국 재정자립도보다 1.2배 이상 높은 지역은 5개이다. (O, X)

✓ 자료

✓ 설명

▸ 목적 파트는?

▸ 정보 파트는?

▸ 정오 파트는? (사용한 관점은?)

간단 퀴즈

Q 1.2를 보고 떠오르는 분수값이 있는가?

A 6/5

관점 적용하기

1. (X) 1.2배 이상인 지역이 5개라면 재정자립도 6등 지역은 1.2배 이하이고, 5등 지역은 1.2배 이상이다.
5등인 D지역의 재정자립도는 69.8이고, 6등인 F지역은 64.7이다.
D지역은 1.2배 이상인 것이 쉽게 보인다. F지역은 확인한다. $\frac{64.7}{53.7} = \frac{60+4.7}{50+3.7}$ → 1.2배 이상이다.
따라서 1.2배 이상인 지역은 5개가 아니다.

답 (X)

적용문제-4 (5급 19-01)

다음 〈표〉는 2016년 경기도 10개 시의 문화유산 보유건수 현황에 대한 자료이다. 이에 대한 〈설명〉의 정오는?

〈표〉 경기도 10개 시의 유형별 문화유산 보유건수 현황

(단위: 건)

시 \ 유형	국가 지정 문화재	지방 지정 문화재	문화재 자료	등록 문화재	합
용인시	64	36	16	4	120
여주시	24	32	11	3	70
고양시	16	35	11	7	69
안성시	13	42	13	0	68
남양주시	18	34	11	4	67
파주시	14	28	9	12	63
성남시	36	17	3	3	59
화성시	14	26	9	0	49
수원시	14	24	8	2	48
양주시	11	19	9	0	39
전체	224	293	100	35	( )

※ 문화유산은 국가 지정 문화재, 지방 지정 문화재, 문화재 자료, 등록 문화재로만 구성됨.

설명

1. '국가 지정 문화재'의 시별 보유건수 순위는 '문화재 자료'와 동일하다. (O, X)

자료

설명

▸ 목적 파트는?

▸ 정보 파트는?

▸ 정오 파트는? (사용한 관점은?)

간단 퀴즈

Q 순위에 대한 비교는 어떤 방식으로 해야 할까?

A 반례가 존재할만한 후보 위주로

관점 적용하기

1. (X) A가 높을수록 B가 높다. = 'A에서 동일한 순위는 B에서도 동일한 순위여야 한다.'
   국가 지정 문화재는 파주, 화성, 수원의 보유건수가 각각 14개로 같다.
   따라서, 문화재 자료도 파주, 화성, 수원의 보유건수가 같아야만, 해당 설명이 옳을 수 있다.
   그런데 파주와 화성의 문화재 자료는 9로 같지만 수원은 8이다. 즉, 국가가 높을수록 문화재 자료가 높지 않다.

답 (X)

적용문제-5 (민경채 실험-01)

다음 〈그림〉은 '갑'회사의 대리점별 매출액 자료이다. 이에 대한 〈설명〉의 정오는?

〈그림〉 '갑'회사의 대리점별 매출액 자료

(단위: 백만원)

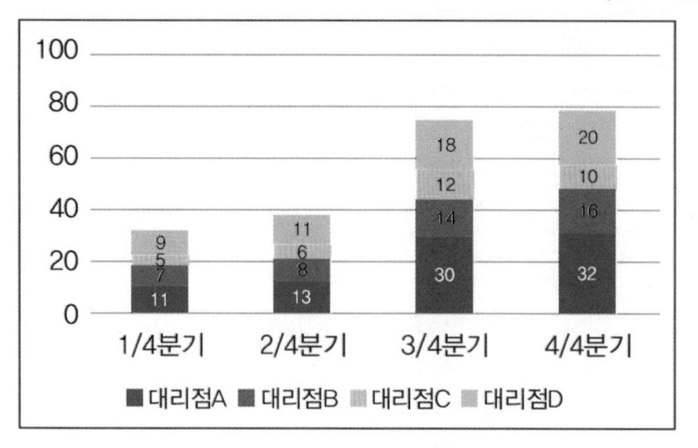

설명

1. 각 대리점의 분기별 매출액은 매년 증가하였다.

(O, X)

✔ 자료

✔ 설명

▸ 목적 파트는?

▸ 정보 파트는?

▸ 정오 파트는? (사용한 관점은?)

간단 퀴즈

Q 반례가 될 확률이 가장 작은 분기는 어디일까?

A 3분기

관점 적용하기

1. (X) 대리점 C의 경우 4/4분기 매출액(10)이 3/4분기 매출액(12)보다 감소하였다.

답 (X)

적용문제-6 (5급 17-14)

다음 〈표〉는 2006 ~ 2012년 '갑'국의 문화재 국외반출 허가 및 전시 현황에 관한 자료이다. 이에 대한 〈설명〉의 정오는?

〈표〉 문화재 국외반출 허가 및 전시 현황

(단위: 건, 개)

연도	전시건수		국외반출 허가 문화재 수량		
	국가별 전시건수 (국가: 건수)	계	지정문화재 (문화재 종류: 개수)	비지정 문화재	계
06	일본: 6, 중국: 1, 영국: 1, 프랑스: 1, 호주: 1	10	국보: 3, 보물: 4, 시도지정문화재: 1	796	804
07	일본: 10, 미국: 5, 그리스: 1, 체코: 1, 중국: 1	18	국보: 18, 보물: 3, 시도지정문화재: 1	902	924
08	일본: 5, 미국: 3, 벨기에: 1, 영국: 1	10	국보: 5, 보물: 10	315	330
09	일본: 9, 미국: 8, 중국: 3, 이탈리아: 3, 프랑스: 2, 영국: 2, 독일: 2, 포르투갈: 1, 네덜란드: 1, 체코: 1, 러시아: 1	33	국보: 2, 보물: 13	1,399	1,414
10	일본: 9, 미국: 5, 영국: 2, 러시아: 2, 중국: 1, 벨기에: 1, 이탈리아: 1, 프랑스: 1, 스페인: 1, 브라질: 1	24	국보: 3, 보물: 11	1,311	1,325
11	미국: 3, 일본: 2, 호주: 2, 중국: 1, 타이완: 1	9	국보: 4, 보물: 12	733	749
12	미국: 6, 중국: 5, 일본: 5, 영국: 2, 브라질: 1, 독일: 1, 러시아: 1	21	국보: 4, 보물: 9	1,430	1,443

※ 1) 지정문화재는 국보, 보물, 시도지정문화재만으로 구성됨.
2) 동일년도에 두 번 이상 전시된 국외반출 허가 문화재는 없음.

설명

1. 2007년 이후, 연도별 전시건수 중 미국 전시건수 비중이 가장 작은 해에는 프랑스에서도 전시가 있었다.

(O, X)

자료

설명

▸ 목적 파트는?

▸ 정보 파트는?

▸ 정오 파트는? (사용한 관점은?)

관점 적용하기

1. (O) 미국 비중이 가장 작은 해에는 프랑스의 전시가 있다고 하였으므로 프랑스 전시가 있는 해의 미국 비중보다 미국 비중이 작은 해가 있는지 확인해보자.

프랑스의 전시 건수가 있는 해는 09,10년 2개이고, 09와 10년의 미국의 전시 건수는 $\frac{8}{33}$과 $\frac{5}{24}$이다.

$\frac{5}{24}$ ≒20%이므로 다른 연도 중에 20%보다 작은 해가 있는지 확인해보면 없다는 것을 알 수 있다.

답 (O)

1 4가지 관점 - 02. 계산의 2단계

Q 계산의 2단계란 무엇인가요?

두 번째 관점인 계산의 2단계를 이해하기 위해 아래의 예시 문제를 풀어보자.

700,000
VS
65,175+15,780+8,775+38,226+22,578+15,872+21,152+7,882+44,421+14,515

Q 둘 중 더 큰 숫자는 무엇인가?

혹시 위 Q를 해결하기 위해 10개의 항을 모두 더했는가?
만약에 그렇게 했다면 최고 자릿수 위주로 인식하였다고 해도 상당한 시간이 걸렸을 것이다.
그런데 위의 Q의 의도가 정말 10개의 항의 덧셈일까?
그렇지 않다. 덧셈으로 구성된 10개의 숫자를 보면 가장 큰 숫자도 7만보다 작다.
따라서, 더하지 않아도 7만↓×10이므로 70만보다 작다는 것을 알 수 있다.
이처럼 계산을 접근하기 전에 논리적 사고부터 적용 해보는 것이 '계산의 2단계'라는 관점이다.

이미 설명한 것처럼 정오판단 시 처음부터 정확하게 확인하려고 하지 말자.
step ① 논리적 사고와 어림셈 통한 정오판단
step ② 비교 테크닉과 정밀셈을 통한 정오판단
즉, step ①을 거친 후, step ②로 접근하자.

예를 들어, $\frac{2,878}{6,172}$와 45%를 비교한다고 생각하자.

step ① 논리적 사고 $\frac{270+17}{600+17}$ → 플마 찢기에 의하여 45% 이상이다.

step ① 어림셈 $\frac{287}{617}$ 62×4 = 248, 62×5 = 310인데, 287은 310에 더 가까우므로 45% 이상이다.

만약 step ①로 해결되지 않는다면 그 때 step ②로 접근한다.

step ② 6,172의 45% ≒ 2,777이므로 $\frac{2,878}{6,172}$은 45% 이상이다.

계산에는 단계라는 것이 존재한다.

1단계 논리적 사고와 어림셈
2단계 비교 테크닉과 정밀셈

예시문제

다음 〈표〉는 A~C지역의 농장 및 재배 현황에 대한 자료이다. 이에 대한 〈설명〉의 정오는?

〈표〉 A~C지역의 농장 및 재배 현황

구분 / 지역	농장 수(개)	재배면적(ha)	재배면적당 수확량 (kg/ha)
A	635	878	3.6
B	875	1,146	2.9
C	1,123	1,421	2.6

설명

1. 농장당 재배면적은 A지역이 B지역보다 크다.

(O, X)

2. 수확량은 B지역이 C지역보다 작다.

(O, X)

✓ 자료

✓ 설명

▸ 목적 파트는?

▸ 정보 파트는?

▸ 정오 파트는? (사용한 관점은?)

관점 적용하기

1. (O) 농장당 재배면적 = $\frac{\text{재배면적}}{\text{농장수}}$

A지역의 농장당 재배면적 = $\frac{878}{635}$ ≒1.3, B지역의 농장당 재배면적 = $\frac{1,146}{875}$ ≒1.3

계산의 2단계

→ A지역 $\frac{878}{635} = \frac{800+78}{600+35} \rightarrow \frac{4}{3}\uparrow$, B지역 $\frac{1,146}{875} = \frac{1200-54}{900-25} \rightarrow \frac{4}{3}\downarrow$

A지역이 B지역보다 크다. (※ 감각적으로 A지역이 더 크다는 것이 보이면 가장 좋다.)

Q. 정확한 값을 계산 하는 것이 더 쉬울까?

2. (O) 수확량 = 재배면적당 수확량 × 재배면적

B지역의 수확량 = 1,146×2.9 → 115×3 = 345 C지역의 수확량 = 1,421×2.6 → 140×2.5 = 350

계산의 2단계

B지역의 경우 1,146과 2.9를 숫자크기를 모두 키웠으므로 실제 값은 345↓

C지역의 경우 1,421과 2.6의 숫자크기를 모두 줄였으므로 실제 값은 350↑

→ 더 이상의 정밀셈이 필요 없이 B지역이 C지역보다 작다.

Q. 더 정확해야 할 필요가 있을까?

답 (O, O)

적용문제-01 (5급 18-04)

다음 〈표〉는 2017년 스노보드 빅에어 월드컵 결승전에 출전한 선수 '갑' ~ '정'의 심사위원별 점수에 관한 자료이다. 이에 대한 〈설명〉의 정오는?

〈표〉 선수 '갑' ~ '정'의 심사위원별 점수

(단위: 점)

선수	시기	심사위원				평균 점수	최종 점수
		A	B	C	D		
갑	1차	88	90	89	92	89.5	183.5
	2차	48	55	60	45	51.5	
	3차	95	96	92	( )	( )	
을	1차	84	87	87	88	( )	( )
	2차	28	40	41	39	39.5	
	3차	81	77	79	79	( )	
병	1차	74	73	85	89	79.5	167.5
	2차	89	88	88	87	88.0	
	3차	68	69	73	74	( )	
정	1차	79	82	80	85	81.0	( )
	2차	94	95	93	96	94.5	
	3차	37	45	39	41	40.0	

※ 1) 각 시기의 평균점수는 심사위원 A ~ D의 점수 중 최고점과 최저점을 제외한 2개 점수의 평균임.
2) 각 선수의 최종점수는 각 선수의 1 ~ 3차 시기 평균점수 중 최저점을 제외한 2개 점수의 합임.

설명

1. 최종점수는 '정'이 '을'보다 낮다.

(O, X)

자료

설명

▸ 목적 파트는?

▸ 정보 파트는?

▸ 정오 파트는? (사용한 관점은?)

간단 퀴즈

Q 빈칸을 먼저 채우고 접근하는 방법이 좋은 방법일까?

A 아니다.

관점 적용하기

1. (X) 최종 점수 = 최저점을 제외한 평균 점수
정의 점수는 81점과 94.5점의 합이다.
을의 점수는 39.5가 최저점이므로 나머지 2개의 점수의 합으로 구성된다.
을의 1차는 84~88점의 사이의 점수로 구성되며, 2차의 경우 77~81점으로 구성된다.
을의 1차(84~88점)는 정의 2차(94.5점)보다 낮고, 을의 2차(77~81점)는 정의 1차(81점)보다 낮다.
따라서 두 점수의 합도 을이 정의 점수보다 낮다.

답 (X)

적용문제-02 (민 19-18)

다음 〈표〉는 '갑'국 A ~ E 대학의 재학생수 및 재직 교원수와 법정 필요 교원수 산정기준에 관한 자료이다. 이에 근거하여 법정 필요 교원수를 충족시키기 위해 충원해야 할 교원수가 많은 대학부터 순서대로 나열하면?

〈표 1〉 재학생수 및 재직 교원수

(단위: 명)

구분 \ 대학	A	B	C	D	E
재학생수	900	30,000	13,300	4,200	18,000
재직 교원수	44	1,260	450	130	860

〈표 2〉 법정 필요 교원수 산정기준

재학생수	법정 필요 교원수
1,000명 미만	재학생 22명당 교원 1명
1,000명 이상 10,000명 미만	재학생 21명당 교원 1명
10,000명 이상 20,000명 미만	재학생 20명당 교원 1명
20,000명 이상	재학생 19명당 교원 1명

※ 법정 필요 교원수 계산시 소수점 아래 첫째 자리에서 올림.

① B, C, D, A, E
② B, C, D, E, A
③ B, D, C, E, A
④ C, B, D, A, E
⑤ C, B, D, E, A

✓ 자료

✓ 설명

▸ 목적 파트는?

▸ 정보 파트는?

▸ 정오 파트는? (사용한 관점은?)

간단 퀴즈

Q 교원수가 많은 순서를 정말로 구해야 할까?

A 아니다.

관점 적용하기

충원교원수 = 필요 교원수 - 재직 교원수
재직 교원수는 주어져있으므로, 필요교원수를 구해야 한다.

필요 교원수 = $\frac{\text{재학생수}}{\text{법정필요교원수}}$ ex) 재학생: 20,000명, 필요 교원수= $\frac{20,000}{19}$

필요교원수를 구할 때, 재학생 20명 당 1명을 제외한 나머지 기준은 결과값을 구하는 것이 쉽지 않다.
따라서, 모두 재학생 20명 당 1인이라고 가정하자. 단, ↑와 ↓를 통해서 논리적 타당성을 부여하자.
필요교원수 → A = 45↓, B = 1500↑, C = 655, D = 210↓ E = 900
충원교원수 → A = 1↓, B = 240↑, C = 205 D = 80 ↓ E = 40
따라서 B, C, D, E, A순이다.

답 ②

적용문제-03 (7급 21-10-변형)

다음 〈표〉와 〈대화〉는 4월 4일 기준 지자체별 자가격리자 및 모니터링 요원에 관한 자료이다. 이에 대한 〈설명〉의 정오는?

〈표〉 지자체별 자가격리자 및 모니터링 요원 현황(4월 4일 기준)

(단위: 명)

구분	지자체	A	B	C	D
내국인	자가격리자	9,778	1,287	1,147	9,263
	신규 인원	900	70	20	839
	해제 인원	560	195	7	704
외국인	자가격리자	7,796	508	141	7,626
	신규 인원	646	52	15	741
	해제 인원	600	33	5	666
모니터링 요원		10,142	710	196	8,898

※ 해당일 기준 자가격리자 = 전일 기준 자가격리자 + 신규 인원 - 해제 인원

설명

1. 4월 3일 기준 자가격리자가 가장 적은 지차체는 C이다.

(O, X)

✓ 자료

✓ 설명

▸ 목적 파트는?

▸ 정보 파트는?

▸ 정오 파트는? (사용한 관점은?)

간단 퀴즈

Q 덧셈과 뺄셈으로 이어진 경우에 각 요소가 주는 영향을 어떻게 파악 할 수 있을까?

A 숫자의 크기.

관점 적용하기

1. (O) 4월 3일 자가격리자 = 4월 4일 자가격리자 - 신규인원 + 해제인원
계산의 2단계를 적용하기 위해 영향력이 상대적으로 작은 신규인원과 해제인원을 일단 무시한다.
4월 4일 자가격리자만 생각해보면 후보군인 C의 4월 4일 자가격리자는 = 1147+141으로 대략 1300명이다.
허나, 다른 지자체의 중 가장 작은 B만 해도 대략 1700명이 넘어간다.
추가적으로, 인원을 줄여주는 역할을 하고 있는 신규인원을 살펴보자.
지자체 B의 신규인원은 200명도 안되기 때문에, 가장 적은 지자체는 C이다.

답 (O)

적용문제-04 (행 21-39)

다음 〈표〉는 S시 공공기관 의자 설치 사업에 참여한 '갑' ~ '무'기업의 소요비용에 대한 자료이다. 이에 대한 〈설명〉의 정오는?

〈표〉 기업별 의자 설치 소요비용 산출근거

기업	의자 제작비용 (천 원/개)	배송거리 (km)	배송차량당 배송비용 (천 원/km)		배송차량의 최대 배송량(개/대)
			배송업체 A	배송업체 B	
갑	300	120	1.0	1.2	30
을	250	110	1.1	0.9	50
병	320	130	0.7	0.9	70
정	400	80	0.8	1.0	40
무	270	150	0.5	0.3	25

※ 1) 소요비용 = 제작비용 + 배송비용
2) '갑' ~ '무' 기업은 배송에 필요한 최소대수의 배송차량을 사용함.

설명

1. 배송업체 A를 이용하여 의자 500개를 설치할 때, 소요비용이 가장 적은 기업은 '을'이다.
(O, X)

2. 배송업체 B를 이용하여 의자 300개를 설치할 때, 소요비용이 가장 적은 기업은 '무'이다.
(O, X)

자료

설명

▸ 목적 파트는?

▸ 정보 파트는?

▸ 정오 파트는? (사용한 관점은?)

간단 퀴즈

Q 소요비용의 크기에 대해서 물어보면 어떻게 해야 할까?

A 계산의 2단계를 적용한다.

관점 적용하기

소요비용 = 제작비용 + 배송비용
예시로 '갑'기업을 생각해보면,
제작비용은 1개당 300(천원)
배송비용은 30개당 1.0×120(천원) 또는 1.2×120(천원)이므로 1개당 4.0(천원) 또는 4.8(천원)이다.
→ 제작비용의 영향은 배송비용의 영향보다 지배적이다.
(다른 기업도 제작비용의 영향이 배송비용의 영향보다 지배적이다. 이를 염두에 두고 문제를 해결하자.)

1. (O) 제작비용이 가장 저렴한 기업은 '을'이므로 소요비용도 을이 가장 저렴할 것이다.
계산결과: 을의 배송비용: 50개당 110×1.1 = 121(천원). 즉, 1개당 2.42천원이다.
→ '을'의 의자 1개당 소요비용 = 250 + 2.42 = 252.42천원
다른 기업의 경우, 제작비용만 252.2(천원)보다 크다. 즉, 을이 가장 저렴하다.
2. (X) 제작비용이 가장 저렴한 기업은 '을'이므로 소요비용도 을이 가장 저렴할 것이다.
계산결과: 을의 배송비용을 구해보면 50개당 110×0.9 = 99(천원). 즉, 1개당 1.98천원이다.
→ '을'의 의자 1개당 소요비용 = 250 + 1.98 = 251.98천원.
다른 기업의 경우, 제작비용만 251.98(천원)보다 크다. 즉, 을이 가장 저렴하다.

답 (O, X)

적용문제-05 (행 14-40)

다음 〈표〉는 A국 5개 산(가～마) 시작고도의 일 최저기온과 해당 산의 고도에 관한 자료이다. 〈규칙〉에 따라 단풍 절정기 시작날짜를 정할 때, 〈표 1〉의 날짜 중 단풍 절정기 시작날짜가 가장 늦은 산은?

〈표 1〉 A국 5개 산 시작고도의 일 최저기온

(단위: ℃)

날짜 \ 산	가	나	다	라	마
10월 11일	8.5	8.7	10.9	10.1	10.1
10월 12일	8.7	9.2	9.7	9.1	9.5
10월 13일	7.5	8.5	8.5	9.5	8.4
10월 14일	7.1	7.2	7.7	8.7	7.9
10월 15일	8.1	7.9	7.5	7.6	7.5
10월 16일	8.9	8.5	9.7	10.1	9.7
10월 17일	7.1	7.5	9.5	10.1	9.0
10월 18일	6.5	7.0	8.7	9.0	7.7
10월 19일	6.0	6.9	8.7	8.9	7.4
10월 20일	5.4	6.4	7.3	7.9	8.4
10월 21일	4.5	6.3	7.5	7.1	7.3
10월 22일	5.7	6.1	8.1	6.5	7.1
10월 23일	6.4	5.7	7.2	6.4	6.9
10월 24일	4.5	5.7	6.9	6.2	6.5
10월 25일	3.2	4.5	6.3	5.8	6.8
10월 26일	2.8	3.1	6.5	5.6	5.3
10월 27일	2.1	2.4	5.9	5.5	4.5
10월 28일	1.4	1.5	4.1	5.2	3.7
10월 29일	0.7	0.8	3.2	4.7	4.0

※ 각 산의 동일한 고도에서는 기온이 동일하다고 가정함.

〈표 2〉 A국 5개 산의 고도

(단위: m)

산 \ 고도	시작고도(S)	정상고도(T)
가	500	1,600
나	400	1,400
다	200	900
라	100	700
마	300	1,800

규칙

- 특정 고도의 일 최저기온이 최초로 5℃ 이하로 내려가면 해당 고도에서 단풍이 들기 시작한다.
- 각 산의 단풍 절정기 시작날짜는 해당 산의 고도 H(= 0.8 S + 0.2 T)에서 단풍이 들기 시작하는 날짜이다.
- 고도가 10 m 높아질 때마다 기온이 0.07 ℃씩 하강한다.

① 가 ② 나 ③ 다 ④ 라 ⑤ 마

✔ 자료

✔ 설명

▸ 목적 파트는?

▸ 정보 파트는?

▸ 정오 파트는? (사용한 관점은?)

간단 퀴즈

Q 실제로 고도가 높아지면 온도가 어떻게 될까?

A 온도가 내려간다.

관점 적용하기 [★ 베타의 Pick ★]

단풍 절정기 시작날짜 = H에서의 기온 5℃ ↓
H에서의 기온 = 시작고도 최저기온 - 고도에 따른 온도 하강

고도에 따른 온도 하강을 구하기 위해 H의 고도를 확인해보면,
H = 0.8 S + 0.2 T = 1.0(S) + 0.2(T-S)
즉, 온도는 S와 T-S 2가지에 의해서만 결정된다.
여기서 S = 시작고도 최저기온를 의미하고, T-S = 고도차이에 따른 온도 하강을 의미한다.
따라서, 시작고도 최저기온이 유사한 그룹과 고도에 따른 고도차이가 유사한 그룹을 찾아보자.
1) 시작고도 최저기온이 유사한 그룹 = 가나 / 다라마
2) 고도 차이가 유사한 그룹 = 가나 / 다라 / 마
1)과 2)를 이용하여 그룹을 나누면 총 3개의 그룹으로 나누어진다.
그룹 A = 가, 나 / 그룹 B = 다, 라 / 그룹 C = 마.

H에서의 기온 = 시작고도 최저기온 - 고도차이에 따른 온도 하강이므로,
각 그룹의 시작고도의 최저 기온을 살펴보자.
시작고도의 최저 기온을 살펴보면, 그룹 B 〉 그룹 C ≒ 그룹 A 순이고,
온도 하강의 정도는 그룹 C 〉 그룹 A 〉 그룹 B이다.

절정기 시작 날짜가 늦기 위해서는 아래의 2가지 조건을 따라야 한다.
시작고도의 최저기온이 높을수록, = 그룹 B, 온도 하강 정도가 가장 적을수록, = 그룹 B
따라서, C그룹이 가장 늦은 시작 날짜를 지닌다.
추가적으로 C그룹의 시작고도에서의 최저기온의 전반적인 추이를 살펴보면 '라' 〈 '다'이다.
따라서 시작 날짜가 가장 늦은 산은 '다'이다
※ 해당 문제의 접근에서 가장 중요한 것은 계산량을 줄이는 방향으로 접근하려고하는 것이다.
C그룹의 전반적인 S(시작고도)에서의 온도가 보이지 않는다면 다와 라만을 계산하여 비교하자.

답 ③

적용문제-06 (행 22-29)

다음 〈방법〉은 2021년 '갑'국의 건물 기준시가 산정방법이고, 〈표〉는 건물 A ~ E의 기준시가를 산정하기 위한 자료이다. 이에 근거하여 A ~ E 중 2021년 기준시가가 두 번째로 높은 건물을 고르면?

방법

- 기준시가 = 구조지수 × 용도지수 × 경과연수별잔가율 × 건물면적(㎡) × 100,000(원/㎡)
- 구조지수

구조	지수
경량철골조	0.67
철골콘크리트조	1.00
통나무조	1.30

- 용도지수

용도	대상건물	지수
주거용	단독주택	1.00
	아파트	1.10
상업용 및 업무용	여객자동차터미널	1.20
	청소년수련관	1.25
	관광호텔	1.50
	무도장	1.50

- 경과연수별잔가율 = 1 − 연상각률 × (2021 − 신축연도)

용도	주거용	상업용 및 업무용
연상각률	0.04	0.05

※ 경과연수별잔가율 계산 결과가 0.1 미만일 경우에는 경과연수별잔가율을 0.1로 정함.

〈표〉 건물 A ~ E의 구조, 대상건물, 신축연도 및 건물면적

구분 건물	구조	대상건물	신축연도	건물면적(㎡)
A	철골콘크리트조	아파트	2016	125
B	경량철골조	여객자동차터미널	1991	500
C	철골콘크리트조	청소년수련관	2017	375
D	통나무조	관광호텔	2001	250
E	통나무조	무도장	2002	200

① A ② B ③ C
④ D ⑤ E

✔ 자료

✔ 설명

▸ 목적 파트는?

▸ 정보 파트는?

▸ 정오 파트는? (사용한 관점은?)

간단 퀴즈

Q 곱셈으로 이어진 경우에 각 요소가 주는 영향을 어떻게 파악 할 수 있을까?

A 각 요소간의 배수의 크기

관점 적용하기 [★ 베타의 Pick ★]

기준시가 = 구조지수 × 용도지수 × 경과연수별잔가율 × 건물면적 × 100,000 (※ 100,000은 비교에 영향X)
각 요소별로 주는 최소 영향과 최대 영향을 살펴보자.
구조지수: 최소 0.67, 최대 1.30 → 약 2배 / 용도지수: 최소 1.00, 최대 1.50 → 약 1.5배
건물면적: 최소 125, 최대 500 → 약 4배
경과연수별잔가율: 건물 신축연도에 따라 값이 달라짐.
따라서, 가장 오래된 건물(B)과 가장 늦게 지어진 건물 (C)를 비교하자.
B = 0.1 C = 0.8 → 약 8배
(※ A, C는 늦게 지어진 건물 / B, D, E는 오래된 건물)
비교 영향도 순서 1) 경과연수별잔가율 2) 건물면적 3) 구조지수 4) 용도지수
즉, 비교에 가장 큰 영향을 주는 것은 경과연수별 잔가율이라고 '예상' 할 수 있다.
따라서, 경과연수별잔가율이 높은 A, C를 기준으로 기준시가를 비교하자.
A와 C를 비교 영향도 순서에 따라서 살펴보면,
C가 건물면적이 A의 3배이므로, 구조지수는 동일하므로 C가 A보다 더 크다는 것을 알 수 있다.

우리가 찾아야 하는 것은 2번째로 높은 건물이므로, A보다 더 높은 건물이 C 말고 또 있는지 살펴봐야 한다.
두 번째로 영향을 주는 건물 면적을 기준으로 보면 B가 A의 4배이므로 비교를 할만하다.
A의 경과연수별잔가율 = 0.8이고, B의 경과연수별잔가율 = 0.1이므로, A가 B의 8배이다.
마지막으로 구조지수까지 확인해보면, A가 B보다 크다.
따라서, 용도지수는 확인할 필요없이, A가 B보다 크다는 것을 알 수 있다.
즉, 정확한 순서는 모르지만, A가 2번째라는 것은 확정할 수 있다.

답 ①

4가지 관점 - 03. 계산이 아닌 가공

Q 계산이 아닌 가공이란 무엇인가요?

세 번째 관점인 계산이 아닌 가공을 이해하기 위해 아래의 예시 문제를 풀어보자.

1,748+1,572+1,352 VS 3,848+572+352

Q 두 개의 덧셈 중 결과 값이 더 큰 숫자는 무엇인가?

혹시 Q를 해결하기 위해 실제값을 더하여 비교했는가?
만약 그렇게 했다면 우측이 더 크다는 사실은 알 수 있지만 계산도 어려우며 시간도 많이 걸린다.
(※ 1,748+1,572+1,352 = 4,672과 3,848+572+352 = 4,772)
더하기를 직접해서 비교하는 방법 말고 다른 방법은 없을까?
그렇지 않다. 두 덧셈을 아래처럼 가공해서 본다면, 원래의 방식보다 훨씬 비교가 가능해진다.

1,748	+	1,572	+	1,352
↓		↓		↓
3,848	+	572	+	352
2,100 증가		1,000 감소		1,000 감소

증가(2,100)가 감소(2,000)보다 크기 때문에 3,848+572+352이 더 크다.
(※ 세팅편에서 배운 덧셈과 뺄셈의 비교방식)

이렇듯 비교를 접근 하는 방법은 1가지가 아니다.
만약, 현재의 접근 방식이 어렵다고 느껴진다면 계산으로 접근하는 것이 아닌
가공을 통하여 접근방법을 바꿈으로 비교의 난이도를 낮추는 것을 '계산이 아닌 가공'이라고 한다.
위의 예시처럼 접근의 관점을 달리하면 훨씬 쉽게 정오를 판단할 수 있다.

계속 강조하듯이 정오판단 시 무조건 계산으로 접근하려고 해서는 안 된다.
혹시 다른 접근방법은 없는지 항상 생각하여 계산량을 줄이는 방향으로 접근하자.

해야할 것은 비교를 통한 정오판단이다.

비교를 통한 정오판단이 잘 보이지 않는다면,
논리적인 가공을 통해 접근의 관점을 변화시켜 정오를 판단하자.

예시문제

다음 〈표〉는 '갑'지역 고등학교별 학업평가 기초미달률에 대한 자료이다. 이에 대한 〈설명〉의 정오는?

〈표〉 '갑'지역 고등학교별 학업평가 기초미달률

구분 / 지역	전체	고등학교		
		고	릴	라
학생수(명)	( )	1521	832	987
기초미달자(명)	( )	423	87	220
기초미달률(%)	( )	27.8	10.5	22.3

※ '갑'지역에는 고릴라고등학교 뿐임.

설명

1. 갑지역의 전체 기초미달률은 20% 이상이다.

(O, X)

자료

설명

▸ 목적 파트는?

▸ 정보 파트는?

▸ 정오 파트는? (사용한 관점은?)

관점 적용하기

1. (O) 계산이 아닌 가공 → 기초미달률을 소금물로 생각해보자.
   27.8%의 소금물과 10.5%의 소금물과 22.3%의 소금물을 섞으면 전체의 소금물 농도가 나온다.
   만약 릴의 소금물의 농도도 20% 이상이라면 전체는 당연히 20% 이상이 된다.
   따라서, 고의 기초 미달자(소금)중 일부를 릴에게 넘겨주자.
   고는 기초 미달자가 320만 있어도 20% 이상이 되므로, 기초미달자 100명을 릴에게 넘겨주자.
   그렇다면, 릴의 기초미달률도 $\frac{187}{832}$으로 20%를 넘어가게 된다.
   결과적으로, 고릴라 고등학교 모두 20%보다 커지게 되므로 전체는 20% 이상이다.

답 (O)

적용문제-01 (5급 20-09)

다음은 2014 ~ 2018년 부동산 및 기타 재산 압류건수 관련 정보가 일부 훼손된 서류이다. 이에 대한 〈설명〉의 정오는?

2014~2018년 부동산 및 기타 재산 압류건수
(단위: 건)

연도 \ 구분	부동산	기타 재산	전체
2014	122,148	6,148	128,296
2015	136	27,783	146,919
2016	743	34,011	158,754
2017	9	34,037	163,666
2018		29,814	151,211

설명

1. 부동산 압류건수는 매년 기타 재산 압류건수의 4배 이상이다.

(O, X)

자료

설명

▸ 목적 파트는?

▸ 정보 파트는?

▸ 정오 파트는? (사용한 관점은?)

간단 퀴즈

Q 2014~2018년 중 절대로 확인하면 안 되는 연도는 무엇일까?

A 2014년

관점 적용하기

1. (X) 전체 = 부동산 + 기타
   부동산이 기타재산의 4배 이상이라면, → 전체 = 기타×4↑ + 기타 = 전체 = 기타×5↑
   즉, 전체는 기타의 5배 이상이어야 한다.
   2016년의 경우 $\frac{158,754}{34,011} = \frac{150,000+8,754}{30,000+4,011}$ 이므로 5배 이하이다.
   (※ 정오판단을 위해서는 반례를 생각하자.)
   반례가 되기 위해서는 5배 이하가 되기 위해선 기타재산은 커야하고, 전체는 작아야 한다.
   이것을 만족하는 것은 2015년 이후이고, 이중 가장 만족하는 것은 2016년이므로, 2016년만 확인하자.

답 (X)

적용문제-02 (5급 20-24)

다음 〈표〉는 2014 ~ 2018년 A기업의 직군별 사원수 현황에 대한 자료이다. 이에 대한 〈설명〉의 정오는?

〈표〉 2014 ~ 2018년 A기업의 직군별 사원수 현황

(단위: 명)

연도 \ 직군	영업직	생산직	사무직
2018	169	105	66
2017	174	121	68
2016	137	107	77
2015	136	93	84
2014	134	107	85

※ 사원은 영업직, 생산직, 사무직으로만 구분됨.

설명

1. 전체 사원수는 매년 증가한다.

(O, X)

✓ 자료

✓ 설명

▸ 목적 파트는?

▸ 정보 파트는?

▸ 정오 파트는? (사용한 관점은?)

간단 퀴즈

Q 위에서 아래로 확인하려면 어떻게 해야 할까?

A 매년 감소로 판단

관점 적용하기

1. (X) 전체 사원수 = 영업직 + 생산직 + 사무직
   전체 사원수가 감소하기 위해서는 3개의 직군중 적어도 1개는 감소해야 한다.
   또한, 감소한 직군의 감소폭이 다른 직렬의 증가폭보다 커야 한다.
   14년 → 15년은, 영업직은 2 증가했으나, 생산직은 14 감소하고, 사무직은 1 감소하였다.
   따라서 전체 사원수는 감소하였다.

답 (X)

적용문제-03 (외 13-02)

다음 〈표〉는 A사 피자 1판 주문 시 구매방식별 할인혜택과 비용을 나타낸 것이다. 이를 근거로 정가가 12,500원인 A사 피자 1판을 가장 싸게 살 수 있는 구매방식은?

〈표〉 구매방식별 할인혜택과 비용

구매방식	할인혜택과 비용
스마트폰앱	정가의 25% 할인
전화	정가에서 1,000원 할인 후, 할인된 가격의 10% 추가 할인
회원카드와 쿠폰	회원카드로 정가의 10% 할인 후, 할인된 가격의 15%를 쿠폰으로 추가 할인
직접방문	정가의 30% 할인. 교통비용 1,000원 발생
교환권	A사 피자 1판 교환권 구매비용 10,000원 발생

※ 구매방식은 한 가지만 선택함.

① 스마트폰앱
② 전화
③ 회원카드와 쿠폰
④ 직접방문
⑤ 교환권

✓ 자료

✓ 설명

▸ 목적 파트는?

▸ 정보 파트는?

▸ 정오 파트는? (사용한 관점은?)

관점 적용하기 [★ 베타의 Pick ★]

주어진 할인혜택을 살펴보면, 할인율과 그 외로 구성됐기에, 복잡한 생각을 해야 한다.
따라서, 모두를 할인율로 변화 시켜서 생각하자.

구매방식	할인율로 변환		최종할인율
스마트폰앱	원가의 25% 할인	→	25%
전화	1,000원 할인 → 원가의 8% 할인 후 10% 할인		18%↓
회원카드와 쿠폰	원가의 10% 할인 후 15% 할인		25%↓
직접방문	원가의 30% 할인. + 교통비에 따라 원가의 8% 발생		22%
교환권	2,500원 할인 → 원가의 20% 할인		20%

최종할인율에 따라서 스마트폰앱으로 구매하는 것이 가장 저렴하다.

〈Tip〉

할인 후 추가 할인을 받는 다는 것은 다음과 같다.
원가 1만원 → 1차 할인 10% → 2차 할인 10% 이라고 가정해보자.
1차 할인 → 1만원에서 10% 할인 → 1,000원이 할인되므로 9,000원
2차 할인 → 할인되고 남은 금액인 9,000원에서 10% 할인 → 900원 할인되므로 8,100원이므로 19% 할인된다.
즉, 할인 후 추가로 할인을 받으면, 최종할인율 = (1차 할인율 + 2차 할인율)↓

답 ①

적용문제-04 (5급 18-14)

다음 〈표〉는 2011 ~ 2015년 군 장병 1인당 1일 급식비와 조리원 충원인원에 관한 자료이다. 이에 대한 〈설명〉의 정오는?

〈표〉 군 장병 1인당 1일 급식비와 조리원 충원인원

구분 \ 연도	2011	2012	2013	2014	2015
1인당 1일 급식비(원)	5,820	6,155	6,432	6,848	6,984
조리원 충원인원(명)	1,767	1,924	2,024	2,123	2,195
전년대비 물가상승률(%)	5	5	5	5	5

※ 2011 ~ 2015년 동안 군 장병 수는 동일함.

설명

1. 2012년의 조리원 충원인원이 목표 충원인원의 88%라고 할 때, 2012년의 조리원 목표 충원인원은 2,100명보다 많다.

(O, X)

자료

설명

▸ 목적 파트는?

▸ 정보 파트는?

▸ 정오 파트는? (사용한 관점은?)

간단 퀴즈

Q 가정형의 선지는 어떻게 해결해야 할까?

A 목적을 중심으로

관점 적용하기

1. (O) 목표 충원인원 = 조리원 충원인원의 88% → $\frac{\text{현재 충원인원}}{\text{목표 충원인원}}$ = 88%

즉, $\frac{1,924}{2,100\uparrow}$ = 88% 인지를 물어보고 있는 것이다.

분모가 2,100 이상일 때, 88%라는건, 분모가 2,100일때는, 88%보다 크다는 것이다. (분모↓면 분수는↑)

즉, $\frac{1,924}{2,100}$는 88% 이상인가? $\frac{1,760+164}{2,000+100}$이므로 88% 이상이다. (소금물에 소금 넣기)

(※ 여집합을 이용하여 생각해봐도, 90% 이상임을 알 수 있다.)

목표율이 88% 이상이므로 조리원 목표 충원인원은 2,100명보다 많다.

〈Tip〉

분수($\frac{A}{B}=N$)에서 정오판단의 기준(x)의 위치에 따른 정오판단 기준 표

	x 이상이냐	x 이하이냐
분수가 판단의 기준(x)인 경우	$\frac{A}{B}>x$	$\frac{A}{B}<x$
분모가 판단의 기준(x)인 경우	$\frac{A}{x}>N$	$\frac{A}{x}<N$
분자가 판단의 기준(x)인 경우	$\frac{x}{B}<N$	$\frac{x}{B}>N$

답 (O)

적용문제-05 (5급 17-24)

다음 〈표〉는 결함이 있는 베어링 610개의 추정 결함원인과 실제 결함원인에 관한 자료이다. 이에 대한 〈설명〉의 정오는?

〈표〉 베어링의 추정 결함원인과 실제 결함원인

(단위: 개)

실제 결함원인 \ 추정 결함원인	불균형 결함	내륜 결함	외륜 결함	정렬불량 결함	볼결함	합
불균형결함	87	9	14	6	14	130
내륜결함	12	90	11	6	15	134
외륜결함	6	8	92	14	4	124
정렬불량결함	5	2	5	75	16	103
볼결함	5	7	11	18	78	119
계	115	116	133	119	127	610

※ 1) 전체인식률 = $\frac{\text{추정 결함원인과 실제 결함원인이 동일한 베어링의 개수}}{\text{결함이 있는 베어링의 개수}}$

2) 인식률 = $\frac{\text{추정 결함원인과 실제 결함원인이 동일한 베어링의 개수}}{\text{추정 결함원인에 해당되는 베어링의 개수}}$

3) 오류율 = 1 − 인식률

설명

1. 전체인식률은 0.8 이상이다.

(O, X)

✓ 자료

✓ 설명

▸ 목적 파트는?

▸ 정보 파트는?

▸ 정오 파트는? (사용한 관점은?)

간단 퀴즈

Q 가정형 설명에서 가정은 무엇을 의미하는가?

A 자료에 주어지지 않은 정보 파트

관점 적용하기 [★ 베타의 Pick ★]

1 .(X) 전체인식률은 각각의 인식률들이 모여서 구성됨.

인식률 = $\frac{\text{추정과 실제가 같은 경우}}{\text{계}}$

	불균형 결함	내륜 결함	외륜 결함	정렬불량 결함	볼결함
인식률(분수)	$\frac{87}{115}$	$\frac{90}{116}$	$\frac{92}{133}$	$\frac{75}{119}$	$\frac{78}{127}$
인식률(%)	80% ↓	80% ↓	80% ↓	80% ↓	80% ↓

플마 찢기 또는 여집합적 사고로 생각하면 모두 80% 이하이다.

각각의 인식률이 모두 80% 이하이기 때문에, 전체 인식률은 당연히 80% 이하이다.

답 (X)

적용문제-06 (5급 12-04)

다음 〈표〉는 A시와 B시의 민원접수 및 처리 현황에 대한 자료이다. 이에 대한 〈설명〉의 정오는?

〈표〉 A, B시의 민원접수 및 처리 현황

(단위: 건)

구분	민원접수	처리 상황		완료된 민원의 결과	
		미완료	완료	수용	기각
A시	19,699	( )	18,135	( )	3,773
B시	40,830	( )	32,049	23,637	( )

※ 1) 접수된 민원의 처리 상황은 '미완료'와 '완료'로만 구분되며, 완료된 민원의 결과는 '수용'과 '기각'으로만 구분됨.

2) 수용비율(%) = $\frac{\text{수용건수}}{\text{완료건수}} \times 100$

설명

1. A시와 B시 각각의 '민원접수' 건수 대비 '미완료' 건수의 비율은 10%p 이상 차이가 난다.

(O, X)

자료

설명

▸ 목적 파트는?

▸ 정보 파트는?

▸ 정오 파트는? (사용한 관점은?)

관점 적용하기 [★ 베타의 Pick ★]

1. (O) 민원접수(전체)는 미완료(부분A)와 완료(부분B)로 구성된다.
따라서 전체비율 = 완료비율 + 미완료비율 = 100%

즉, 미완료 비율이 10%p가 차이난다면 완료 비율도 10%p 차이가 난다.
(여집합에서 배운 것처럼 하나가 커지면 다른 하나는 작아지기 때문이다.)

A시의 완료 비율은 $\frac{18135}{19699}$으로 90% 이상이다.

B시의 완료 비율은 $\frac{32049}{40830}$으로 80% 이하이다.

따라서 완료 비율이 10%p 이상 차이가 나고, 그에 따라 미완료 비율도 10%p 이상 차이가 난다.
(간단 증명 → C+D(=100) = E+F(=100)이라면 C와 E의 차이는 C−E = F−D이다.)

답 (O)

1 4가지 관점 - 04. 공통과 차이

Q 계산이 아닌 가공이란 무엇인가요?

네 번째 관점인 공통과 차이를 이해하기 위해 아래의 예시 문제를 풀어보자.

10+20+30+40+50+60+70+80+90+100+110+120+130+140+150+6+11

VS

40+20+50+10+70+60+30+80+90+110+150+120+130+140+100+8+5

Q 두 개의 덧셈 중 결과 값이 더 큰 숫자는 무엇인가??

혹시 Q를 해결하기 위해 주어진 숫자를 모두 더해서 비교했는가?
이제는 그러지 않고 가공을 하려고 노력을 했을 것이다.

숫자의 위치를 바꿔서 본다면, 다음과 같이 볼 수 있다.

10+20+30+40+50+60+70+80+90+100+110+120+130+140+150+6+11

VS

10+20+30+40+50+60+70+80+90+100+110+120+130+140+150+8+5

즉, 두식은 10~150까지를 더한 것에 추가적으로 6+11, 8+5이라는 나머지 항이 붙을 것을 의미한다.
우리가 해야할 것은 당연히 '비교'이기 때문에 10~150까지의 부분(공통)은 비교에 영향을 주지 않는다.
따라서, 6+11과 8+5 (차이)에 집중해야 한다.

위의 예시에서 본것처럼 숫자의 비교에서 '공통'은 영향을 주지 못하고 오직 '차이'만 비교에 영향을 준다.
따라서 '공통'은 무시하고 '차이'에 집중해야 한다.
이와 같은 관점을 '공통과 차이'라고 한다.
그렇기에 항상 '공통'은 무엇이고 '차이'는 무엇인지 생각하며 문제를 풀어야만 한다.

비교에 영향을 주는 것은 오직 차이뿐이다.

공통부분과 차이부분을 찾고
공통은 무시하고 차이에 집중하자.

예시문제

다음 〈표〉는 '갑'국의 정책 변경 전후 소득 구간별 세율 현황에 대한 자료이다. 이에 대한 〈설명〉의 정오는?

〈표〉 '갑'국의 정책 변경 전 후 소득구간별 세율 현황

세율 \ 소득구간	0~200만원	200~400만원	400만원 이상
변경 전		15%	
변경 후	5%	15%	25%

※ 세율변경 후의 세금은 소득에 따라서 누진제가 적용됨. 예를 들어, 300만원의 소득을 버는 사람이라면 0~200만원에 대한 소득은 5%의 세율을 200~300만원에 대한 세율은 15%에 대한 세율이 부과됨.

설명

1. 소득이 600만원이라면, 변경 전과 변경 후에 납부하는 세금의 양은 동일하다. (O, X)

자료

설명

▸ 목적 파트는?

▸ 정보 파트는?

▸ 정오 파트는? (사용한 관점은?)

관점 적용하기

1. (O) 공통과 차이 → 세율 변경전의 세율인 15%와 차이 나는 부분에만 집중하자.
   000~200인 구간 → 기존세율(15%)에 비하여 10% 감소하였다. → 200×10%만큼 덜 낸다.
   200~400인 구간 → 기존세율(15%)와 동일하므로 세금은 동일하다.
   400~600인 구간 → 기존세율(15%)에 비하여 10% 증가하였다. → 200×10%만큼 더 낸다.
   덜 내는 세금은 200×10%이고, 더 내는 세금도 200×10%이다.
   따라서, 소득이 600만원이라면 납부하는 세금의 양의 변화는 없다.

답 (O)

적용문제-01 (5급 19-26)

다음 〈표〉는 2018년 A ~ C 지역의 0 ~ 11세 인구 자료이다. 이에 대한 〈설명〉의 정오는?

〈표 1〉 A ~ C 지역의 0 ~ 5세 인구(2018년)

(단위: 명)

지역 \ 나이	0	1	2	3	4	5	합
A	104,099	119,264	119,772	120,371	134,576	131,257	729,339
B	70,798	76,955	74,874	73,373	80,575	76,864	453,439
C	3,219	3,448	3,258	3,397	3,722	3,627	20,671
계	178,116	199,667	197,904	197,141	218,873	211,748	1,203,449

〈표 2〉 A ~ C 지역의 6 ~ 11세 인구(2018년)

(단위: 명)

지역 \ 나이	6	7	8	9	10	11	합
A	130,885	124,285	130,186	136,415	124,326	118,363	764,460
B	77,045	72,626	76,968	81,236	75,032	72,584	455,491
C	3,682	3,530	3,551	3,477	3,155	2,905	20,300
계	211,612	200,441	210,705	221,128	202,513	193,852	1,240,251

※ 1) 인구 이동 및 사망자는 없음.
2) 나이 = 당해연도 − 출생연도

설명

1. 2019년에 C 지역의 6 ~ 11세 인구의 합은 전년대비 증가한다.

(O, X)

✓ 자료

✓ 설명

▸ 목적 파트는?

▸ 정보 파트는?

▸ 정오 파트는? (사용한 관점은?)

간단 퀴즈

Q 19년도에 인구 수를 알 수 있는 나이는 몇 세부터 몇 세인가?

A 1~12세

관점 적용하기

1. (O) 19년도 6~11세와 18년도 6~11세의 비교
19년도 6~11세 = 18년도 5~10세, / 18년도 6~11세 = 18년도 6~11세
공통 = 18년 기준 6~10세 / 차이 = 18년 5세와 11세 → 5세(3,627) 〉 11세(2,905)이다.
따라서 2019년 6~11세의 인구는 전년대비 증가하였다.

답 (O)

적용문제-02 (5급 14-04)

다음 〈표〉는 각각 3명의 아동이 있는 A와 B가구의 11월 학원등록 현황에 대한 자료이다. 이에 대한 〈설명〉의 정오는?

〈표 1〉 A가구 아동의 11월 학원등록 현황

아동 \ 학원	갑	을	병
송이	○	○	-
세미	○	-	-
휘경	-	○	○

〈표 2〉 B가구 아동의 11월 학원등록 현황

아동 \ 학원	갑	을	병
민준	○	○	○
재경	-	○	-
유라	-	-	○

※ 1) ○: 학원에 등록한 경우, -: 학원에 등록하지 않은 경우
2) 표에 나타나지 않은 학원에는 등록하지 않음.
3) A, B 가구 아동의 12월 학원등록 현황은 11월과 동일함.

〈표 3〉 11월 학원별 1개월 수강료

(단위: 원)

학원	갑	을	병
수강료	80,000	60,000	90,000

※ 1) 학원등록은 매월 1일에 1개월 단위로만 가능함.
2) 별도의 가정이 없으면, 12월의 학원별 1개월 수강료는 11월과 동일함.

설명

1. 11월 가구별 총 수강료는 B 가구가 A 가구보다 1만원 더 많다. (O, X)

2. 학원 '을'과 '병'이 12월 수강료를 10% 할인한다면 12월 총 수강료는 A 가구보다 B 가구가 18,000원 더 많다. (O, X)

자료

설명

▸ 목적 파트는?

▸ 정보 파트는?

▸ 정오 파트는? (사용한 관점은?)

간단 퀴즈

Q 한 학원에 2명 이상의 아동이 등록시 할인을 해준다면 공통과 차이를 어떻게 사용해야 할까?

A 공통 할인을 소거하자.

관점 적용하기

1. (O) 총수강료 비교 → A가구 = 갑 2명, 을 2명, 병 1명 / B가구 = 갑 1명, 을 2명, 병 2명
공통 = 갑 1, 을 2, 병 1, / 차이 = 갑 1과 병 1
병(9만)이 갑(8만)보다 1만원 더 비싸므로 B가구의 수강료가 1만원 더 많다.
2. (X) 총수강료 비교 → A가구 = 갑 2명, 을 2명, 병 1명 / B가구 = 갑 1명, 을 2명, 병 2명
을과 병이 각각 10%를 할인하여도 A, B가구 아동들의 학원등록 현황은 변화하지 않는다.
공통 = 갑 1, 을 2, 병 1, / 차이 = 갑 1과 병 1 → 공통 = 무시 집중 = 차이만
병의 수강료 = 9만−0.9만=8.1만 갑의 수강료 = 8만
차이는 81,000−80,000으로 1,000원 차이이다.

답 (O, X)

적용문제-03 (5급 14-26)

다음 〈표〉는 화학경시대회 응시생 A ~ J의 성적 관련 자료이다. 이에 대한 〈설명〉의 정오는?

〈표〉 화학경시대회 성적 자료

구분 응시생	정답 문항수	오답 문항수	풀지 않은 문항수	점수(점)
A	19	1	0	93
B	18	2	0	86
C	17	1	2	83
D	( )	2	1	( )
E	( )	3	0	( )
F	16	1	3	78
G	16	( )	( )	76
H	( )	( )	( )	75
I	15	( )	( )	71
J	( )	( )	( )	64

※ 1) 총 20 문항으로 100점 만점임.
2) 정답인 문항에 대해서는 각 5점의 득점, 오답인 문항에 대해서는 각 2점의 감점이 있고, 풀지않은 문항에 대해서는 득점과 감점이 없음.

설명

1. 80점 이상인 응시생은 5명이다. (O, X)
2. 응시생 I의 '풀지않은 문항수'는 3이다. (O, X)

자료

설명

▸ 목적 파트는?

▸ 정보 파트는?

▸ 정오 파트는? (사용한 관점은?)

간단 퀴즈

Q 만약 각주 2)가 없다면, 어떤 응시생을 이용하는 것이 좋을까?

A 응시생 A~C

Q 점수의 구성을 보면 떠오르는 것은 없는가?

A 내림차순

관점 적용하기

1. (X) C를 기준으로 D를 살펴보면,
오답 문항수는 1늘고, 풀지 않은 문항수 1줄었다. 따라서 정답 문항수는 똑같이 17이다.
풀지 않은 문항은 점수에 영향이 없고, 오답문항의 1 증가는 2점 감점이므로 D는 81점이다.
같은 논리로 E는 79점이다. 즉, 80점을 넘는 사람은 A, B, C, D로 총 4명이다.
2. (O) I의 경우 F에 비하여 7점이 낮은데 정답 문항수는 1이 적다(−5). 이는 추가 감점요소 2점이 있다는 의미이다.
따라서 I는 F보다 틀린 문항수가 1이 더 많다. 즉, 틀린 문항수는 2, 풀지 않은 문항수는 3이다.

답 (X, O)

적용문제-04 (5급 18-19)

다음 〈표〉는 소프트웨어 A～E의 제공 기능 및 가격과 사용자별 필요 기능 및 보유 소프트웨어에 관한 자료이다. 이에 대한 〈설명〉의 정오는?

〈표 1〉 소프트웨어별 제공 기능 및 가격

(단위: 원)

구분 \ 소프트웨어	기능										가격
	1	2	3	4	5	6	7	8	9	10	
A	○		○		○		○	○		○	79,000
B		○	○	○		○			○	○	62,000
C	○	○	○	○	○	○		○	○		58,000
D		○				○	○		○		54,000
E	○		○	○	○	○	○	○			68,000

※ 1) ○: 소프트웨어가 해당 번호의 기능을 제공함을 뜻함.
2) 각 기능의 가격은 해당 기능을 제공하는 모든 소프트웨어에서 동일하며, 소프트웨어의 가격은 제공 기능 가격의 합임.

설명

1. 기능 1, 5, 8의 가격 합과 기능 10의 가격 차이는 3,000원 이상이다. (O, X)

자료

설명

▸ 목적 파트는?

▸ 정보 파트는?

▸ 정오 파트는? (사용한 관점은?)

간단 퀴즈

Q 기능 1과 기능 2, 4, 9의 가격 차이도 구할 수 있는가?

A 구할 수 없다.

관점 적용하기

1. (O) 소프트웨어의 가격은 제공 기능 가격의 합이다.
그러나 기능은 10개인데 소프트웨어의 종류는 5개뿐이므로 해를 구할 수 없다. (부정방정식)
따라서 해당 설명의 정오를 판단하기 위해서는 2가지 소프트웨어가 필요하다.
1) 1, 5, 8의 기능이 있지만 10의 기능은 없는 소프트웨어 = C와 E
2) 1, 5, 8의 기능은 없지만 10의 기능은 있는 소프트웨어 = B
1)과 2)가 모두 존재하므로 각각의 공통과 차이를 생각해보자.
소프트웨어 B와 E의 차이는 (1, 5, 7, 8)과 (2, 10)이다.
소프트웨어 B와 C의 차이는 (1, 5, 8)과 (10)이다. 따라서 B와 C의 가격 차이를 확인해야 한다.
B와 C의 가격차이는 62,000−58,000 = 4,000원이므로 3,000원 이상 차이난다.

답 (O)

적용문제-05 (민 13-25)

다음 〈표〉는 '갑'국 개인 A ~ D의 연소득에 대한 자료이고, 개인별 소득세산출액은 〈소득세 결정기준〉에 따라 계산한다. 이를 근거로 A ~ D 중 소득세산출액이 가장 많은 사람과 가장 적은 사람을 바르게 나열한 것은?

〈표〉 개인별 연소득 현황

(단위: 만원)

개인	근로소득	금융소득
A	15,000	5,000
B	25,000	0
C	20,000	0
D	0	30,000

※ 1) 근로소득과 금융소득 이외의 소득은 존재하지 않음.
2) 모든 소득은 과세대상이고, 어떤 종류의 공제·감면도 존재하지 않음.

소득세 결정기준

- 5천만원 이하의 금융소득에 대해서는 15%의 '금융소득세'를 부과함.
- 과세표준은 금융소득 중 5천만원을 초과하는 부분과 근로소득의 합이고, 〈과세표준에 따른 근로소득세율〉에 따라 '근로소득세'를 부과함.
- 소득세산출액은 '금융소득세'와 '근로소득세'의 합임.

〈과세표준에 따른 근로소득세율〉

(단위: %)

과세표준	세율
1,000만원 이하분	5
1,000만원 초과 5,000만원 이하분	10
5,000만원 초과 1억원 이하분	15
1억원 초과 2억원 이하분	20
2억원 초과분	25

- 예를 들어, 과세표준이 2,500만원인 사람의 '근로소득세'는 다음과 같음.
1,000만원 × 5% + (2,500만원 − 1,000만원) × 10% = 200만원

	가장 많은 사람	가장 적은 사람
①	A	B
②	A	D
③	B	A
④	D	A
⑤	D	C

✔ 자료

✔ 설명

▸ 목적 파트는?

▸ 정보 파트는?

▸ 정오 파트는? (사용한 관점은?)

관점 적용하기

소득세산출액은 근로소득세와 금융소득세로 구성됨
단, 금융소득은 5천만 원까지만 금융소득으로 취급하고, 나머지는 근로소득으로 취급한다.

	A	B	C	D
근로소득	15,000	25,000	20,000	25,000
금융소득	5,000	0	0	5,000

세율은 소득에 비례하여 증가하므로 D가 가장 많은 세금을 내는 것은 당연하다.
A와 C의 경우 근로소득 15,000에 대한 세금은 동일하므로 차이가 나는 부분인 금융소득 5,000과 근로소득 15,001~20,000의 구간에 대한 세금을 비교해야 한다. 근로소득이 1억이 넘으면 세율이 20% 이므로 근로소득에 의한 세율(20%)이 금융소득에 의한 세율(15%)보다 높다. 즉, A가 세금을 덜 낸다.

답 ④

적용문제-06 (5급 11-34)

다음 〈표〉는 A, B 두 회사 전체 신입사원의 성별 교육년수 분포에 대한 자료이다. 이에 대해 〈신입사원 초임결정공식〉을 적용했을 때, 이에 대한 〈설명〉의 정오는?

〈표〉 회사별 성별 전체 신입사원의 교육년수 분포

(단위: %)

회사	성별 \ 교육년수	12년 (고졸)	14년 (초대졸)	16년 (대졸)	18년 (대학원졸)	합
A	남	30	20	40	10	100
	여	40	20	30	10	100
B	남	40	10	30	20	100
	여	50	30	10	10	100

신입사원 초임결정공식

- A사
  남자: 초임(만원) = 1,000 + 180 × (교육년수)
  여자: 초임(만원) = 1,840 + 120 × (교육년수)
- B사
  남자: 초임(만원) = 750 + 220 × (교육년수)
  여자: 초임(만원) = 2,200 + 120 × (교육년수)

설명

1. B사 여자신입사원은 교육년수가 동일한 A사 남자신입사원보다 초임이 높다.

(O, X)

2. 교육년수가 14년 이하인 B사 여자신입사원은 교육년수가 동일한 B사 남자신입사원보다 초임이 높다.

(O, X)

자료

설명

▸목적 파트는?

▸정보 파트는?

▸정오 파트는? (사용한 관점은?)

관점 적용하기

1. (O) 연봉 = 기본급 + 교육연수에 따른 연봉으로 구성된다.
   B사 여자 신입 = 2200 + 120×교육년수 / A사 남자 신입 = 1000 + 180×교육년수
   B사 여자 신입이 기본급은 1200만원이 높은 반면, 교육연수에 따른 연봉은 A사 남자신입이 60만원 높다.
   즉, A사 남자신입의 교육연수가 20년 이하 일때는 B사 여자 신입의 연봉이 더 높다.
2. (O) 연봉 = 기본급 + 교육연수에 따른 연봉으로 구성된다.
   B사 여자 신입 = 2200 + 120×교육년수 / B사 남자 신입 = 750 + 220×교육년수
   B사 여자 신입이 기본급은 1450만원이 높은 반면, 교육연수에 따른 연봉은 B사 남자신입이 100만원 높다.
   즉, B사 남자신입의 교육연수가 14년 이하 일때는 B사 여자 신입의 연봉이 더 높다.

답 (O, O)

적용문제-07 (외 13-39)

다음 〈표〉는 A국과 B국의 출산휴가 및 육아휴가 최대 기간과 임금대체율이다. 정상 주급 60만원을 받는 두 나라 여성이 각각 1월 1일(월요일)부터 출산휴가와 육아휴가를 최대한 사용할 경우, 첫 52주의 기간에 대하여 두 여성이 받게 되는 총임금의 차이는?

〈표〉 출산휴가 및 육아휴가 최대 기간과 임금대체율

(단위: 주, %)

구분	출산휴가		육아휴가	
	최대 기간	임금대체율	최대 기간	임금대체율
A국	15	100.0	52	80.0
B국	15	60.0	35	50.0

※ 1) 임금대체율(%) = $\frac{\text{휴가 기간의 주급}}{\text{정상 주급}} \times 100$

2) 육아휴가는 출산휴가 후 연이어 사용하며, 육아휴가를 사용한 후에는 바로 업무에 복귀하여 정상 주급을 받음.

① 900만원 초과 1,000만원 이하
② 1,000만원 초과 1,100만원 이하
③ 1,100만원 초과 1,200만원 이하
④ 1,200만원 초과 1,300만원 이하
⑤ 1,300만원 초과 1,400만원 이하

✓ 자료

✓ 설명

▸ 목적 파트는?

▸ 정보 파트는?

▸ 정오 파트는? (사용한 관점은?)

관점 적용하기

A국과 B국에 거주하는 두 여성의 52주간 임금 대체율을 살펴보면 다음과 같다.

	0~15주(15주)	15~50주(35주)	50~52주(2주)
A국	100.0%	80.0%	80.0%
B국	60.0%	50.0%	100.0%(육아 휴가가 끝났으므로, 업무 복귀)
차이	40.0%	30.0%	−20%
결과	40%×15주 = 6	30%×35주 = 10.5	−20% × 2 = 0.4

임금 차이 = (40%×15주 + 30%×35주 − 20%×2주)×60만원
= (6 + 10.5 − 0.4)×60만원 = 16.1×60만원 = 966만원

답 ①

적용문제-08 (5급 16-33)

다음 〈표〉는 스마트폰 기종별 출고가 및 공시지원금에 대한 자료이다. 이에 대한 〈설명〉의 정오는?

〈표〉 스마트폰 기종별 출고가 및 공시지원금

(단위: 원)

구분 / 기종	출고가	공시지원금
A	858,000	210,000
B	900,000	230,000
C	780,000	150,000
D	990,000	190,000

보기

- 모든 소비자는 스마트폰을 구입할 때 '요금할인' 또는 '공시지원금' 중 하나를 선택한다.
- 사용요금은 월정액 51,000원이다.
- '요금할인'을 선택하는 경우의 월 납부액은 사용요금의 80%에 출고가를 24(개월)로 나눈 월 기기값을 합한 금액이다.
- '공시지원금'을 선택하는 경우의 월 납부액은 출고가에서 공시지원금과 대리점보조금(공시지원금의 10%)을 뺀 금액을 24(개월)로 나눈 월 기기값에 사용요금을 합한 금액이다.
- 월 기기값, 사용요금 이외의 비용은 없고, 10원 단위 이하 금액은 절사한다.
- 구입한 스마트폰의 사용기간은 24개월이고, 사용기간 연장이나 중도해지는 없다.
- '공시지원금'을 선택했을 때 월 납부액이 '요금할인'을 선택했을 때의 월 납부액보다 적은 기종은 1개만 존재한다.

설명

1. '공시지원금'을 선택하는 경우의 월 납부액이 '요금할인'을 선택하는 경우의 월 납부액보다 적은 기종은 'B'이다.

(O, X)

자료

설명

▸ 목적 파트는?

▸ 정보 파트는?

▸ 정오 파트는? (사용한 관점은?)

간단 퀴즈

Q 월 납부액을 가장 많이 내야 하는 기종은 무엇일까?

A 기종 D

관점 적용하기

1. (O) 동일한 기종의 할인 종류에 따른 월 납부액의 비교에 대해 묻고 있다.
   1) 월 납부액은 사용요금(51,000)과 월 기기값(출고가)에서 할인액을 뺀 금액으로 구성되며, 기종이 동일하면 사용요금(51,000)과 월 기기값(출고가)이 동일하다.
   2) 할인의 종류는 요금할인(사용요금에 대한 할인)과 공시지원금(출고가에 대한 할인)으로 구성된다.
   공시지원금으로 인한 할인액 : 〈표〉에 주어진 것처럼 기종마다 상이.
   요금할인으로 인한 할인액 : 할인액이 월정액의 20%으로 기종과 무관.
   〈조건〉에서 해당 선지를 만족하는 기종이 1개 존재한다고 주어졌다.
   요금할인은 기종과 상관없이 할인액이 동일하므로, 〈조건〉에 따르면 공시지원금이 가장 높은 기종의 공시지원금은 요금할인으로 할인액보다 크다.
   따라서 공시지원금이 가장 높은 B기종은 '공시지원금'을 선택했을 시의 월 납부액이 '요금할인'을 선택했을 시의 월 납부액보다 적다.

답 (O)

관점 익히기

곱셈 비교의 접근 단계
1단계 어림셈과 논리 통해 쳐낼 것 쳐내는 단계
2단계 쳐내지지 않은 것을 비교 테크닉을 통해 비교하는 단계
※ 비교 테크닉 = 배수 테크닉, 사각 테크닉, 합차 테크닉

2 곱셈 비교 <Day.3>

Q 곱셈 비교란 무엇인가요?

아래와 같은 자료과 설명의 형태를 지닌 경우에 해야 할 것이 곱셈 비교이다.

〈표〉 국가별 GDP와 GDP 대비 수출액

(단위: 백만달러, %)

구분 \ 국가	가	나	다	라	마
GDP	42157	36281	69217	67215	29052
GDP 대비 수출액	25.3	19.5	14.1	13.3	16.5

설명

1. 수출액이 가장 큰 지역은 '가'국이다.

(O, X)

곱셈 비교는 설명의 목적이 항목들의 곱셈으로 구성된다.
설명의 목적이 곱셈으로 구성된 유형은 아래의 5가지로 주어진다.

1) 다수의 곱셈의 대소를 비교하는 형태 → 수출액이 가장 큰 지역은 가국이다.
2) 곱셈과 고정값을 비교하는 형태 → 모든 국가의 수출액은 100억달러 이상이다.
3) 2개의 곱셈의 대소를 비교하는 형태 → 나국은 라국보다 수출액이 많다.
4) 2개의 곱셈의 배수를 구하는 형태 → 수출액은 가국이 마국의 2배 이상이다.
5) 2개의 곱셈의 차이값을 구하는 형태 → 수출액은 나국이 마국보다 20억 달러 이상 많다.

Q 곱셈 비교 유형에 관점은 어떻게 적용할 수 있나요?

곱셈 비교 유형은 다음과 같은 4개의 step으로 관점이 적용된다.

step ① 후보군 → 정오판단 기준잡기 (반례찾기)

↓

step ② 공통과 차이 → 공통부분 무시 (동일 자릿수 무시)

↓

step ③ 계산의 2단계 → 논리적 사고와 어림셈 이용하기

↓

step ④ 계산이 아닌 가공 → 비교 테크닉(돋보기)을 이용한 비교하기

※ 대부분의 문제는(80%↑) step ③에서 해결된다. 추가로 필요할 때만 step ④를 활용하자.

이중 '값' 자체를 물어보는 유형인 2) 곱셈과 고정값을 비교하는 형태와 5) 곱셈간의 차이값을 구하는 형태에서는 자릿수의 크기를 생각해야 한다.

Q 논리적 사고란 무엇인가요?

논리적 사고란 곱셈의 값을 실제로 구하지 않고도 '논리적'으로 당연한 결과를 생각하는 것을 말한다.

예를 들어 A×B와 C×D를 비교할 때,
곱셈을 구성하는 숫자가 각각 증가하면 더 크고, (A×B → C×D 기준, A 〈 C, B 〈 D)
곱셈을 구성하는 숫자가 각각 감소하면 더 작다. (A×B → C×D 기준, A 〉 C, B 〉 D)
반면, 둘 중 하나는 작고, 하나는 크다면 추가적인 확인이 필요하다.

A×B VS C×D	A 〉 C	A 〈 C
B 〉 D	A×B 〉 C×D	추가 확인 필요
B 〈 D	추가 확인 필요	A×B 〈 C×D

Q 비교테크닉이 무엇인가요?

곱셈의 비교테크닉은 총 3가지로 구성된다.

① 배수테크닉:
숫자간의 배수 관계를 이용하여 비교하는 테크닉
A×B 〉? C×D → $\frac{A}{C} \times \frac{B}{D}$ 〉? 1 (※ 두 곱셈의 배수를 알 수 있음.)

② 사각 테크닉 :
곱셈을 사각형 넓이로 생각하여 비교하는 테크닉
A×B 〉? C×D → (A-C)×B - C×(D-B) 〉? 0 (※ 두 곱셈의 차이값을 알 수 있음.)

③ 합차 테크닉:
합차 공식을 이용하여 비교하는 테크닉
합차 공식 = $(x-a)(x+a) = x^2 - a^2$

Q 비교테크닉은 언제 사용되나요?

비교 테크닉은 이름처럼 '비교'에 사용된다.
따라서, 모든 비교 테크닉은 아래의 3개의 유형에 적용이 가능하다.

1) 다수의 곱셈의 대소를 비교하는 형태 → 수출액이 가장 큰 지역은 가국이다.
2) 곱셈과 고정값을 비교하는 형태 → 라국의 수출액은 100억달러 이상이다.
3) 2개의 곱셈의 대소를 비교하는 형태 → 나국은 라국보다 수출액이 많다.

추가적으로 배수테크닉는 아래의 유형을 풀기에 적합하고,

4) 2개의 곱셈의 배수를 구하는 형태 → 수출액은 가국이 마국의 2배 이상이다.

사각테크닉는 아래의 유형을 풀기에 적합하다.

5) 2개의 곱셈의 차이값을 구하는 형태 → 나국의 수출액은 마국의 수출액 보다 20억 이상 많다.

예제

다음 〈표〉는 2021년 국가별 GDP와 GDP 대비 수출액을 나타낸 것이다. 이에 대한 〈설명〉의 정오는?

〈표〉 국가별 GDP와 GDP 대비 수출액

(단위: 백만달러, %)

구분 \ 국가	가	나	다	라	마
GDP	42,157	36,281	69,217	67,215	29,052
GDP 대비 수출액	25.3	19.5	14.1	13.3	16.5

설명

1. 수출액이 가장 큰 지역은 '가'국이다. (O, X)
2. 모든 국가의 수출액은 50억 달러 이상이다. (O, X)

자료

설명

▸ 목적 파트는?

▸ 정보 파트는?

▸ 정오 파트는?

관점 적용하기

1. (O) 수출액 = GDP × GDP 대비 수출액
   후보군 = '가'국을 기준으로 잡는다.
   곱셈의 논리적 사고로 인하여, 가국 〉 나국, 마국이고, 또한, 다국 〉 라국이다.
   계산의 2단계에 의하여
   가국 = 42157 × 25.3 → 420×25% = 105↑
   다국 = 69217 × 14.1 → 700×14.3% = 100↓
   따라서, 가국이 가장 크다.
2. (X) 수출액 = GDP × GDP 대비 수출액
   모든 국가가 100억달러 이상이라고 하였으므로, 가장 작은 국가만 확인하자.
   가장 작은 국가는 마국이다.
   마국의 자릿수를 생각하지 않고 값을 구하고, 자릿수를 생각하자.
   마국 = 29852 × 16.5% → 30000×1/6 = 5000↓(백만달러)
   천 × 백만달러이므로, 50억달러 이하이다.

답 (O, X)

적용문제-01 (민 18-07)

다음 〈표〉는 조선시대 A지역 인구 및 사노비 비율에 대한 자료이다. 이에 대한 〈설명〉의 정오는?

〈표〉 A지역 인구 및 사노비 비율

구분 / 조사년도	인구(명)	인구 중 사노비 비율(%)			
		솔거노비	외거노비	도망노비	전체
1720	2,228	18.5	10.0	11.5	40.0
1735	3,143	13.8	6.8	12.8	33.4
1762	3,380	11.5	8.5	11.7	31.7
1774	3,189	14.0	8.8	12.0	34.8
1783	3,056	14.9	6.7	9.3	30.9
1795	2,359	18.2	4.3	6.5	29.0

※ 1) 사노비는 솔거노비, 외거노비, 도망노비로만 구분됨.
2) 비율은 소수점 둘째 자리에서 반올림한 값임.

설명

1. A지역 사노비 수는 1774년이 1720년보다 많다. (O, X)

자료

설명

▸ 목적 파트는?

▸ 정보 파트는?

▸ 정오 파트는?

간단 퀴즈

Q A지역의 조사연도 중 사노비가 가장 많은 해는 언제일까?

A 1774년

관점 적용하기

1. (O) 사노비 = 인구 × 전체 사노비 비율
74년이 20년보다 더 큰지 물었다. 논리적 사고에 의하여, 74년은 작아지게 만들자.
74년 = 3189×34.8% → 318×34.8% → 300 × 33.3% = 100
20년 = 2228×40.0% → 222×40.0% → 220 × 40.0% = 88
74년이 20년보다 크다.

답 (O)

적용문제-02 (민 12-18)

다음 〈표〉는 2006 ~ 2011년 어느 나라 5개 프로 스포츠 종목의 연간 경기장 수용규모 및 관중수용률을 나타낸 것이다. 이에 대한 〈설명〉의 정오는?

〈표〉 프로 스포츠 종목의 연간 경기장 수용규모 및 관중수용률

(단위: 천명, %)

종목	구분 \ 연도	2006	2007	2008	2009	2010	2011
야구	수용규모	20,429	20,429	20,429	20,429	19,675	19,450
	관중수용률	30.6	41.7	53.3	56.6	58.0	65.7
축구	수용규모	40,255	40,574	40,574	37,865	36,952	33,314
	관중수용률	21.9	26.7	28.7	29.0	29.4	34.9
농구	수용규모	5,899	6,347	6,354	6,354	6,354	6,653
	관중수용률	65.0	62.8	66.2	65.2	60.9	59.5
핸드볼	수용규모	3,230	2,756	2,756	2,756	2,066	2,732
	관중수용률	26.9	23.5	48.2	43.8	34.1	52.9
배구	수용규모	5,129	5,129	5,089	4,843	4,409	4,598
	관중수용률	16.3	27.3	24.6	30.4	33.4	38.6

※ 관중수용률(%) = $\frac{\text{연간 관중 수}}{\text{연간 경기장 수용구모}} \times 100$

설명

1. 2009년 연간 관중 수는 배구가 핸드볼보다 많다.

(O, X)

자료

설명

▸ 목적 파트는?

▸ 정보 파트는?

▸ 정오 파트는?

관점 적용하기

1. (O) 연관 관중 수 = 관중수용률 × 연간경기장 수용규모

배구가 핸드볼보다 더 큰지 물었다. 논리적 사고에 의하여, 배구는 작아지게 만들자.

배구 = 4843×30.4% → 484×30.4% → 480 × 30% = 144

핸드볼 = 2756×43.8% → 275×43.8% → 280 × 45% = 140 × 90%

배구가 핸드볼보다 크다.

답 (O)

적용문제-03 (5급 19-03)

다음 〈그림〉과 〈표〉는 '갑'국의 재생에너지 생산 현황에 관한 자료이다. 이에 대한 〈설명〉의 정오는?

〈그림〉 2011 ~ 2018년 재생에너지 생산량

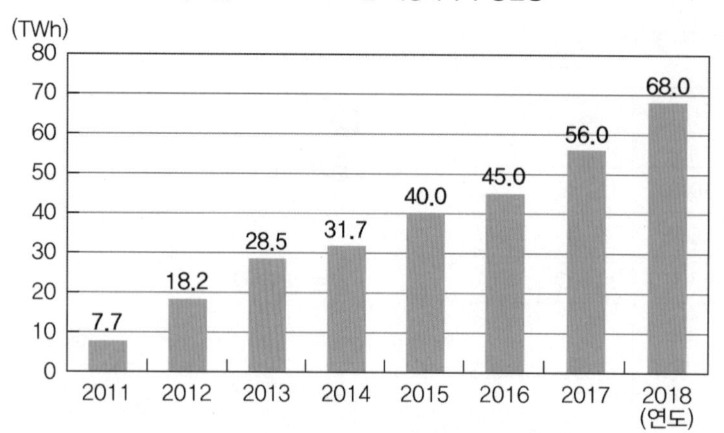

〈표〉 2016 ~ 2018년 에너지원별 재생에너지 생산량 비율

(단위: %)

에너지원 \ 연도	2016	2017	2018
폐기물	61.1	60.4	55.0
바이오	16.6	17.3	17.5
수력	10.3	11.3	15.1
태양광	10.9	9.8	8.8
풍력	1.1	1.2	3.6
계	100.0	100.0	100.0

설명

1. 2016 ~ 2018년 태양광을 에너지원으로 하는 재생에너지 생산량은 매년 증가하였다.

(O, X)

✓ 자료

✓ 설명

▸ 목적 파트는?

▸ 정보 파트는?

▸ 정오 파트는?

관점 적용하기

1. (O) 태양광 생산량 = 그림의 전체 생산량 ×표의 태양광 비율
   매년 증가 하였는지 물어봤으므로, 감소한 해가 있는지 찾아보자 (반례 찾기)
   매년 생산량은 증가하였고, 비율은 감소하였으므로, 논리적 사고로 감소한 부분을 알 순 없다.
   16년: 45.0 × 10.9 → 45 × 11 = 495
   17년: 56.0 × 9.8 → 56 × 10 = 560
   18년: 68.0 × 8.8 → 68 × 9 = 680−68 = 612
   매년 증가하였다.

답 (O)

적용문제-04 (5급 18-14)

다음 〈표〉는 직육면체 형태를 가진 제빙기 A～H에 관한 자료이다. 이에 대한 〈설명〉의 정오는?

〈표〉 제빙기별 세부제원

제빙기	1일 생산량 (kg)	저장량 (kg)	길이(mm)			냉각방식	생산가능 얼음형태
			가로	세로	높이		
A	46	15	633	506	690	공냉식	사각
B	375	225	560	830	1,785	수냉식	가루
C	100	55	704	520	1,200	수냉식	사각
D	620	405	1,320	830	2,223	수냉식	반달
E	240	135	560	830	2,040	수냉식	사각
F	120	26	640	600	800	공냉식	가루
G	225	130	560	830	1,936	수냉식	반달
H	61	26	633	506	850	수냉식	사각

※ 바닥면적 = 가로 × 세로

설명

1. 부피가 가장 작은 제빙기의 바닥면적보다 더 작은 바닥면적을 가진 제빙기는 없다.

(O, X)

자료

설명

▸ 목적 파트는?

▸ 정보 파트는?

▸ 정오 파트는?

간단 퀴즈

Q 현실적으로 제빙기의 1일 생산량과 저장량이 커지면 부피는 어떻게 될까?

A 커질 것이다.

관점 적용하기

1. (O) 바닥면적 = 가로 × 세로, 부피 = 가로 × 세로 × 높이
   바닥면적과 부피 중 그나마 구하기 쉬운 것이 바닥면적이므로 바닥면적이 가장 작은 제빙기부터 찾자.
   A를 기준으로 대소를 해보자.
   B, E, G는 가로, 세로의 위치를 바꾸면 각각 모두 A보다 크다. 따라서 바닥면적도 크다.
   C, D, F는 가로와 세로 모두 A보다 크므로 바닥면적도 크다.
   H는 A와 가로와 세로가 동일하므로 바닥면적도 동일하다.
   (※ 잠깐 복습: 면적 = 가로 × 세로이므로, 곱셈을 구성하는 가로와 세로가 모두 크면 당연히 바닥도 크다.)
   즉, A와 H의 바닥면적이 가장 작다. 그런데 A의 높이가 가장 작다. 따라서 A의 부피가 가장 작다.

답 (O)

2 곱셈 비교 - 01. 배수 테크닉

Q 배수 테크닉은 언제 사용하나요?

곱셈의 배수 테크닉은 곱셈 비교테크닉 중 하나이므로
당연하게, 곱셈 비교처럼 아래와 같은 자료과 설명의 형태를 지닌 경우에 사용 될 수 있다.

〈표〉 국가별 GDP와 GDP 대비 수출액

(단위: 백만달러, %)

구분 \ 국가	가	나	다	라	마
GDP	42157	36281	69217	67215	29052
GDP 대비 수출액	25.3	19.5	14.1	13.3	16.5

설명

1. 수출액이 가장 큰 지역은 가국이다.

(O, X)

2. 수출액은 가국이 마국의 2배 이상이다.

(O, X)

곱셈 비교와 동일하게 설명의 목적이 항목들의 곱셈으로 구성된다.
추가적으로 곱셈들간의 배수 관계를 구할 때 유용하다.

Q 배수 테크닉에 대해서 알려주세요.

배수 테크닉의 정의

1) A×B 〉? C×D → $\frac{A}{C}$ 〉? $\frac{D}{B}$	2) A×B VS C×D → $\frac{A}{C} \times \frac{B}{D}$ = n

곱셈을 구성하는 숫자를 이항하여 숫자간의 배수 관계를 통해하여 곱셈을 비교 할 수 있다.

예를 들어 57×97와 49×119를 비교한다면,
어림셈으로 접근하면 둘 다 6,000보다 작게 나오기 쉽지 않을 것이다.

허나, 49와 98를 이항하면, $\frac{57}{49}$와 $\frac{119}{97}$으로 볼 수 있게 된다.

$\frac{57}{49}$는 1.2보다 작고, $\frac{119}{97}$는 1.2보다 크므로, 49×119가 57×97보다 크다고 판별할 수 있다.

또한, 이항할 때 하나의 항으로 모두 이항을 한다면, 두 곱셈간의 배수도 파악 할 수 있다.
예를 들어 40×150 → 60×300이라는 곱셈간의 배수 관계를 파악한다면,

40과 150을 모두 이항하면, $\frac{60 \times 300}{40 \times 150}$으로 볼 수 있게 된다.

$\frac{60}{40}$은 1.5이고, $\frac{300}{150}$은 2이므로, $\frac{60 \times 300}{40 \times 150}$ = 1.5×2=3이므로 40×150 → 60×300는 3배 관계이다.

Q 배수테크닉에 대한 예시를 조금 더 보여주세요

비교를 위한 배수 테크닉의 예시

38×24과 77×13, 38과 13을 이항하자. 이항을 하면 $\frac{24}{13}$과 $\frac{77}{38}$으로 볼 수 있게 된다.

$\frac{24}{13}$ = 2↓ $\frac{77}{38}$ = 2↑이므로, 77×13가 38×24보다 크다고 판별할 수 있다.
이항을 진짜로 하면서 풀기에는 우리에게는 시간이 부족하다.
따라서 빠르게 사고하기 위해 다음과 같이 배수적으로 접근하자.
38에서 77으로 → 2배↑, 13에서 24로 → 2배 ↓

이번에는 355×288과 423×203를 바로 배수적으로 접근하자.
355에서 423으로 → 1.4배↓, 203에서 288으로 → 1.4배↑

배수관계를 파악하기 위한 배수 테크닉의 예시
23 × 14 → 49 × 22 몇 배인가?
23과 14를 이항하자. 이항을 하면, $\frac{49 \times 22}{23 \times 14}$로 볼 수 있게 된다.

$\frac{49}{23}$ = 2↑이고, $\frac{22}{14}$ = 1.5↑이므로, $\frac{49 \times 22}{23 \times 14}$ = 2↑×1.5↑ = 3↑이다.
따라서, 23 × 14 → 49 × 22는 3배 이상이다. 라고 판별할 수 있다.
이번에도 이항을 진짜로 하면서 풀기에는 시간이 부족하다.
따라서, 빠르게 사고하기 위해 다음과 같이 배수적으로 접근하자.
23에서 49로 → 2배↑, 14에서 22로 → 1.5배↑, 따라서, 2배↑×1.5배↑이므로 3배↑이다.

이번에는 19 × 80 → 63 × 55 몇 배인지를 바로 배수적으로 접근하자.
19에서 63으로 → 3배↑, 80에서 55로 → 0.66배↑ 따라서, 3배↑×0.66배↑ = 2배↑이다.

하지만, 80에서 55로 가는 배수를 보는 것은 쉽지 않다.
이처럼 배수가 잘 보이지 않는 경우에는 반대 방향으로 생각하자.
단, 방향이 반대로 가는 경우에는 ×이 아니라 ÷로 연결해야 한다.
19에서 63으로 → 3배↑, 55에서 80로 → 1.5배↓ 따라서, 3배↑÷1.5배↓ = 2배↑이다.

연습문제

■ 문제지

01)	969	×	41	○	241	×	162
02)	273	×	630	○	184	×	956
03)	488	×	188	○	318	×	272
04)	217	×	967	○	658	×	327
05)	181	×	368	○	217	×	303
06)	358	×	611	○	302	×	738
07)	308	×	508	○	245	×	627
08)	212	×	298	○	188	×	326
09)	581	×	651	○	532	×	728
10)	821	×	531	○	911	×	492
11)	821	×	155	○	271	×	452
12)	322	×	521	○	648	×	261
13)	378	×	886	○	761	×	448
14)	151	×	619	○	759	×	128
15)	969	×	113	○	161	×	663
16)	511	×	725	○	611	×	602
17)	209	×	631	○	251	×	501
18)	511	×	985	○	612	×	811
19)	681	×	948	○	711	×	898
20)	882	×	613	○	913	×	582

■ 답안지

	좌항		우항		좌항		우항
01)	39729	〉	39042	11)	127255	〉	122492
02)	171990	〈	175904	12)	167762	〈	169128
03)	91744	〉	86496	13)	334908	〈	340928
04)	209839	〈	215166	14)	93469	〈	97152
05)	66608	〉	65751	15)	109497	〉	106743
06)	218738	〈	222876	16)	370475	〉	367822
07)	156464	〉	153615	17)	131879	〉	125751
08)	63176	〉	61288	18)	503335	〉	496332
09)	378231	〈	387296	19)	645588	〉	638478
10)	435951	〈	448212	20)	540666	〉	531366

연습문제

■ 문제지

01)	278	×	856	○	366	×	666
02)	388	×	538	○	409	×	515
03)	153	×	419	○	195	×	342
04)	223	×	393	○	246	×	359
05)	927	×	960	○	1117	×	803
06)	963	×	403	○	1180	×	316
07)	224	×	782	○	261	×	689
08)	353	×	1138	○	450	×	929
09)	139	×	575	○	141	×	530
10)	625	×	735	○	734	×	653
11)	142	×	1188	○	188	×	932
12)	336	×	220	○	391	×	194
13)	918	×	946	○	987	×	923
14)	597	×	436	○	773	×	334
15)	584	×	270	○	675	×	236
16)	690	×	167	○	873	×	125
17)	167	×	812	○	198	×	668
18)	323	×	924	○	350	×	829
19)	813	×	1083	○	1028	×	877
20)	840	×	311	○	886	×	298

■ 답안지

	좌항		우항		좌항		우항
01)	237968	〈	243756	11)	168696	〈	175216
02)	208744	〈	210635	12)	73920	〈	75854
03)	64107	〈	66690	13)	868428	〈	911001
04)	87639	〈	88314	14)	260292	〉	258182
05)	889920	〈	896951	15)	157680	〈	159300
06)	388089	〉	372880	16)	115230	〉	109125
07)	175168	〈	179829	17)	135604	〉	132264
08)	401714	〈	418050	18)	298452	〉	290150
09)	79925	〉	74730	19)	880479	〈	901556
10)	459375	〈	479302	20)	261240	〈	264028

예제

다음 〈표〉는 2021년 국가별 GDP와 GDP 대비 수출액을 나타낸 것이다. 이에 대한 〈설명〉의 정오는?

〈표〉 국가별 GDP와 GDP 대비 수출액

(단위: 백만달러, %)

구분 \ 국가	가	나	다	라	마
GDP	42,157	36,281	69,217	67,215	29,152
GDP 대비 수출액	25.3	19.5	14.1	13.3	16.5

설명

1. 수출액이 가장 큰 지역은 가국이다.

(O, X)

2. 수출액은 가국이 마국의 2배 이상이다.

(O, X)

✓ 자료

✓ 설명

▸ 목적 파트는?

▸ 정보 파트는?

▸ 정오 파트는? (사용한 테크닉은?)

관점 적용하기

1. (O) 수출액 = GDP × GDP 대비 수출액
가: 421 × 25.3%
곱셈의 논리적 사고로 인하여, '다' 국과만 비교하면 충분하다. 배수테크닉을 이용해보자.

	가 국	다 국	
GDP	421	692	→ 다가 가의 1.75배↓
	×	×	
GDP 대비 수출액	253	141	→ 가가 다의 1.75배↑

※ 배수가 잘 보이지 않는다면, 다른 테크닉을 이용하자.

가국: 1×1.75↑ 다국: 1.75↓×1 이므로 가국이 다국보다 크다.

2. (O) 수출액 = GDP × GDP 대비 수출액
배수 관계에 대해서 물어보므로 배수테크닉을 이용해보자.

	가 국	마 국	
GDP	421	291	→ 가가 마의 1.4배↑
	×	×	
GDP 대비 수출액	253	165	→ 가가 마의 1.5배↑

가국: 1.4↑×1.5↑=2.1↑ 마국: 1×1 이므로 가국이 마국의 2배 이상이다.

답 (O, O)

예제

다음 〈표〉는 지역별 가구수 및 1인 가구 비율에 관한 자료이다. 이에 대한 〈설명〉의 정오는?

〈표〉 지역별 가구수 및 1인 가구 비율

(단위: 천 가구, %)

지역 \ 구분	전체 가구 수	1인 가구 비율
A지역	58,712	18.7
B지역	28,782	35.2
C지역	6,572	28.5
D지역	8,112	9.3

설명

1. A지역의 1인가구는 B지역보다 많다. (O, X)
2. C지역의 1인가구는 D지역보다 2배 이상 많다. (O, X)

✓ 자료

✓ 설명

▸ 목적 파트는?

▸ 정보 파트는?

▸ 정오 파트는? (사용한 테크닉은?)

관점 적용하기

1. (O) 1인가구 = 전체 가구 수 × 1인 가구 비율
   A: 587 × 18.7% → 600 × 19.0% = 114 (60000의 20%에서 1%가 빠졌다고 생각하자.)
   B: 287 × 35.2% → 290 × 35.0% = 115↓
   논리적으로 해결하기에 애매하다고 판단된다면, 배수테크닉을 이용해보자.

	A 가구	B 가구	
전체 가구	587	287	→ A가 B의 2배↑
	×	×	
1인 가구비율	187	352	→ B가 A의 2배↓

   A: 2↑×1 B: 1×2↓이므로 A가 B보다 크다.

2. (O) 1인가구 = 전체 가구 수 × 1인 가구 비율
   배수 관계에 대해서 물어보므로 배수테크닉을 이용해보자.

	C 가구	D 가구	
전체 가구	657	811	→ D가 C의 1.5배↓
	×	×	
1인 가구비율	285	93	→ C가 D의 3배↑

   C: 1×3↑ D: 1.5↓×1 이므로 C가 D에 비하여 2배 이상이다.

답 (O, O)

적용문제-01 (민 18-11)

다음 〈그림〉은 A ~ F국의 2016년 GDP와 'GDP 대비 국가자산총액'을 나타낸 자료이다. 이에 대한 〈설명〉의 정오는?

〈그림〉 A ~ F국의 2016년 GDP와 'GDP 대비 국가자산총액'

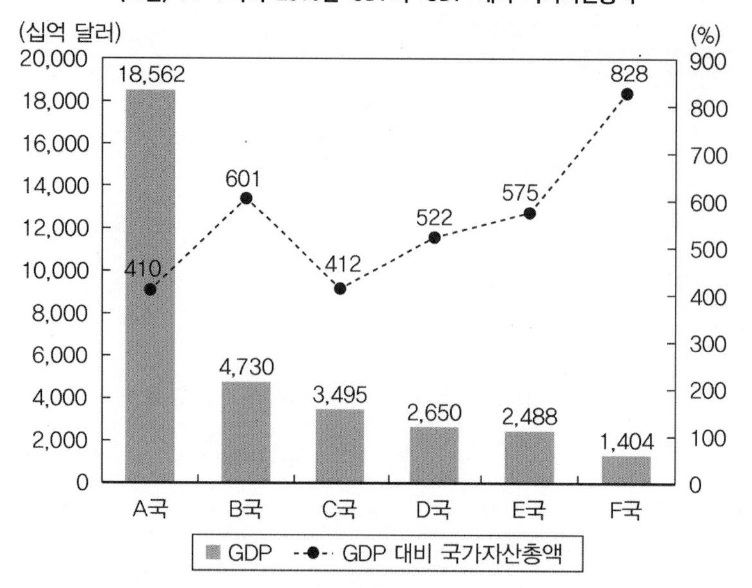

※ GDP 대비 국가자산총액(%) = $\frac{\text{국가자산총액}}{\text{GDP}} \times 100$

설명

1. 국가자산총액은 F국이 D국보다 크다.

(O, X)

✓ 자료

✓ 설명

▸ 목적 파트는?

▸ 정보 파트는?

▸ 정오 파트는? (사용한 테크닉은?)

간단 퀴즈

Q A~F국 중 국가자산총액이 가장 큰 국가는? (이미지로 생각해보기)

A A국

관점 적용하기

1. (X) 국가자산총액 = GDP × GDP 대비 국가자산총액

F: 140 × 828 → 140 × 800 = 112,000 (60000의 20%에서 1%가 빠졌다고 생각하자.)

D: 265 × 522 → 290 × 500 = 135,000

논리적으로 해결하기에 애매하다고 판단된다면, 배수테크닉을 이용해보자.

	F 국	D 국	
GDP	140	265	→ D가 F의 1.8배↑
	×	×	
GDP 대비 국가자산총액	828	522	→ F가 D의 1.8배↓

※ 1.8배가 잘 보이는가? 보이지 않는다면 다른 테크닉을 이용하자.

F국: 1×1.8↓, D국: 1.8↑× 1이므로 D국이 F국보다 크다.

답 (X)

적용문제-02 (5급 19-09)

다음 〈표〉와 〈그림〉은 2017년 지역별 정보탐색에 관한 자료이다. 이에 대한 〈설명〉의 정오는?

〈표〉 지역별 인구수 및 정보탐색 시도율과 정보탐색 성공률

(단위: 명, %)

구분 / 성별 / 지역	인구수		정보탐색 시도율		정보탐색 성공률	
	남	여	남	여	남	여
A	5,800	4,200	35.0	39.0	90.1	91.6
B	1,000	800	28.0	30.0	92.9	95.8
C	2,500	3,000	15.0	25.0	88.0	92.0
D	4,000	3,500	37.0	40.0	91.2	92.9
E	4,800	3,200	42.0	45.0	87.3	84.7
F	6,000	6,500	20.0	33.0	81.7	93.2
G	1,200	900	35.0	28.0	95.2	95.2
H	1,400	1,600	16.0	13.0	89.3	91.3

※ 1) 정보탐색 시도율(%) = $\frac{\text{정보탐색 시도자수}}{\text{인구수}} \times 100$

2) 정보탐색 성공률(%) = $\frac{\text{정보탐색 성공자수}}{\text{정보탐색 시도자수}} \times 100$

설명

1. 인구수가 가장 작은 지역과 남성 정보탐색 성공자 수가 가장 작은 지역은 동일하다.

(O, X)

자료

설명

▸ 목적 파트는?

▸ 정보 파트는?

▸ 정오 파트는? (사용한 테크닉은?)

관점 적용하기

1. (X) 인구수 = (남성 + 여성)인구 / 남성 성공자수 = 인구 × 시도율 × 성공률

인구수 와 남성 성공자수 중 인구가 더 구하기 쉬우므로, 인구가 가장 작은 지역부터 찾자.

인구가 가장 작은 지역 = B지역

B지역보다 남성 성공자수가 작기 위해서는 인구, 시도율, 성공률 3개중 적어도 1개는 B지역보다 작아야 한다.

배수테크닉적으로 생각해보면, 성공률의 경우 0.9~1.1배의 근소한 차이이므로, 인구수와 시도율에 집중하자.

B지역보다 인구수가 작은 지역은 없고, 시도율이 작은 지역은 C와 H이다.

C지역은 B지역에 비하여 인구가 2.5배나 많으므로 B보다 작을 수 없다.

H지역은 B지역에 비하여 인구는 1.4배 많으나 시도율은 B지역이 1.5배↑크다.

심지어 성공률도 B지역이 H지역에 비하여 크기 때문에 H지역이 B지역보다 작다.

	B 지역	H 지역	
인구	1000	1400	→ H가 B의 1.4배
	×	×	
시도율	28.0	16.0	→ B가 H의 1.75배
	×	×	
성공률	92.9	89.3	→ H가 더 작음

B지역: 1×1.75×1, H지역: 1.4×1×1↓이므로 H지역이 B지역보다 작다.

답 (X)

적용문제-03 (민 18-11)

다음 〈표〉는 '갑'국의 주택보급률 및 주거공간 현황에 대한 자료이다. 이에 대한 〈설명〉의 정오는?

〈표〉 '갑'국의 주택보급률 및 주거공간 현황

연도	가구수 (천가구)	주택보급률 (%)	주거공간	
			가구당(㎡/가구)	1인당(㎡/인)
2000	10,167	72.4	58.5	13.8
2001	11,133	86.0	69.4	17.2
2002	11,928	96.2	78.6	20.2
2003	12,491	105.9	88.2	22.9
2004	12,995	112.9	94.2	24.9

※ 1) 주택보급률(%) = $\frac{\text{주택수}}{\text{가구수}} \times 100$

2) 가구당 주거공간(㎡/가구) = $\frac{\text{주거공간 총면적}}{\text{가구수}}$

3) 1인당 주거공간(㎡/인) = $\frac{\text{주거공간 총면적}}{\text{인구수}}$

설명

1. 2004년 주거공간 총면적은 2000년 주거공간 총면적의 2배 이상이다. (O, X)

✓ 자료

✓ 설명

▸ 목적 파트는?

▸ 정보 파트는?

▸ 정오 파트는? (사용한 테크닉은?)

간단 퀴즈

Q 인구수를 구할 수 있을까?

A 구할 수 있다.

관점 적용하기

1. (O) 주거공간 총면적 = 가구수 × 가구당 주거공간
배수에 대해서 물어보므로, 배수테크닉을 이용해보자.

	04년	00년	
가구수	130	101	→ 04년이 00년의 1.25배↑
	×	×	
가구당 주거공간	942	585	→ 04년이 00년의 1.6배↑

※ 배수를 보는게 어렵다면, 굳이 배수테크닉을 사용할 필요는 없다.

04년: 1.25↑×1.6↑ = 2↑, D국: 1×1 = 1이므로 04년이 00년의 2배 이상이다.

답 (O)

적용문제-04 (5급 17-32)

다음 〈표〉와 〈그림〉은 2011 ~ 2015년 국가공무원 및 지방자치단체공무원 현황에 관한 자료이다. 이에 대한 〈설명〉의 정오는?

〈표〉 국가공무원 및 지방자치단체공무원 현황

(단위: 명)

구분 \ 연도	2011	2012	2013	2014	2015
국가 공무원	621,313	622,424	621,823	634,051	637,654
지방자치단체 공무원	280,958	284,273	287,220	289,837	296,193

〈그림〉 국가공무원 및 지방자치단체공무원 중 여성 비율

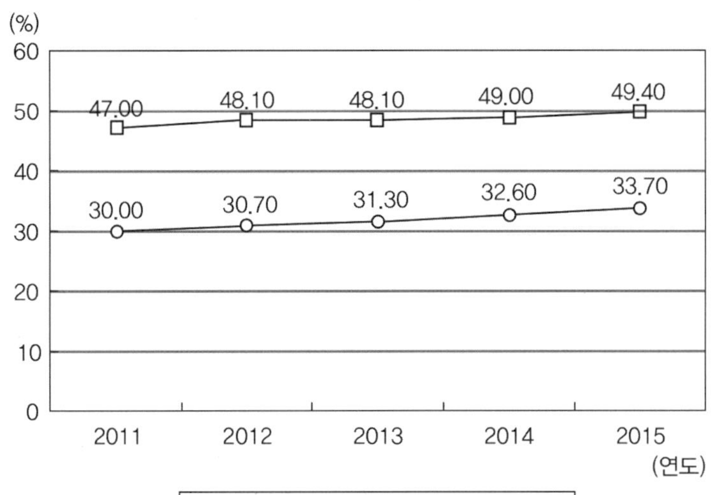

설명

1. 매년 국가공무원 중 여성 수는 지방자치단체공무원 중 여성 수의 3배 이상이다.

(O, X)

자료

설명

▸ 목적 파트는?

▸ 정보 파트는?

▸ 정오 파트는? (사용한 테크닉은?)

간단 퀴즈

Q 〈그림〉자료 만 이용하여 2013년 남성 국가공무원 수의 전년대비 증감을 알 수 있을까?

A 알 수 없다.

관점 적용하기

1. (O) 여성공무원 = 공무원 수 × 여성 비율

	11년	12년	13년	14년	15년
국가공무원	621	622	621	634	637
지방공무원	280	284	287	289	296
지방 대비 국가의 비율	2배↑	2배↑	2배↑	2배↑	2배↑
국가공무원 여성 비율	47.0	48.1	48.1	49.0	49.4
지방공무원 여성 비율	30.0	30.7	31.3	32.6	33.7
지방 대비 국가의 비율	1.5배↑	1.5배↑	1.5배↑	1.5배↑	1.5배↓

2015년을 제외한 나머지는 모두 3배 이상이다.

2015년 국가공무원이 지방공무원의 2배가 되기 위해 필요한 값은 600이다.

600보다 큰 값은 모두 여성비율에 옮겨주자. 630 = 600×1.05 1.05를 여성비율에 옮겨주자.

→ 600×1.05×50.0 = 600×52.5 → $\frac{52.5}{33.7}=\frac{45+7.5}{30+3.7}$으로 1.5배 이상이므로, 2015년도 3배 이상이다.

답 (O)

2 곱셈 비교 - 02. 사각 테크닉

Q 사각 테크닉은 언제 사용하나요?

곱셈의 사각 테크닉은 곱셈 비교 테크닉 중 하나이므로
당연하게, 곱셈 비교처럼 아래와 같은 자료과 설명의 형태를 지닌 경우에 사용 될 수 있다.

〈표〉 국가별 GDP와 GDP 대비 수출액

(단위: 백만달러, %)

구분 \ 국가	가	나	다	라	마
GDP	42157	36281	69217	67215	29052
GDP 대비 수출액	25.3	19.5	14.1	13.3	16.5

설명

1. 수출액이 가장 큰 지역은 가국이다.

(O, X)

2. 수출액은 나국이 마국보다 20억 달러 이상 많다.

(O, X)

곱셈 비교와 동일하게 설명의 목적이 항목들의 곱셈으로 구성된다.
추가적으로 곱셈들간의 차이값을 구할 때 매우 유용하다.

Q 사각테크닉에 대해서 알려주세요.

사각 테크닉의 정의

1) $A\times B$ 〉? $C\times D \rightarrow (A-C)\times B$ 〉 $C\times(D-B)$	2) $A\times B - C\times D = (A-C)\times B - C\times(D-B) = n$

이미지로 이해하는 사각테크닉

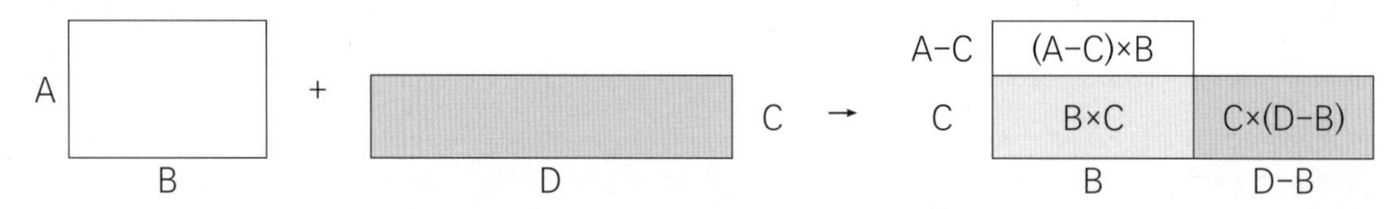

→ B×C 만큼은 공통 넓이이므로, 비교에 영향을 주지 않는다. 차이는 오직 $(A-C)\times B$ 와 $C\times(D-B)$ 뿐이다.

예를 들어 78×27과 58×37을 비교한다면, 어림셈으로도, 배수테크닉으로도 비교하기 쉽지 않을 것이다.
이처럼 어림셈이나, 배수테크닉으로 비교하기 힘든 곱셈에는 사각 테크닉을 적용해보자.
78×27과 58×37 → $(78-58)\times27$과 $58\times(37-27)$ → $20\times27=540$과 $58\times10=580$이므로, 58×37이 더 크다.

또한, 위의 이미지처럼 사각테크닉으로 제거되는 부분은 공통 부분이므로, 차이값을 구하기도 용이하다.
예를 들어 37×58과 27×78의 차이값을 구한다면,
$37\times58-27\times78$ → $(37-27)\times58-27\times(78-58)$ → $10\times58-27\times20=40$이므로, 두 곱셈의 차이값은 40이다.

＊ 노래로 배우는 플마 찢기
앞에선 앞에꺼 빼고~ 뒤에껀 그대로~ 빼빼빼빼 빼고~
뒤에선 뒤에꺼 빼고~ 앞에껀 그대로~
$(A-C)\times B - C\times(D-B)$

사각테크닉에 대한 예시를 조금 더 보여주세요

1) 비교를 위한 사각 테크닉의 예시
55×38과 47×43, 앞에서 배운 사각 테크닉을 그대로 적용하면,
(55-47)×38 VS 47×(43-38) → 8×38 VS 47×5이므로, 8×38가 더 크다.

만약, 앞의 숫자가 더 작다면 어떻게 해야 할까?
32×68 VS 44×52, 앞에서 배운 사각 테크닉을 그대로 적용하려고 하면,
(32-44)×68 VS 44×(52-68) → (-12)×68 VS 44×(-16)으로 음수가 나오게 되어 복잡해진다.
따라서, 앞의 숫자가 더 작다면 곱셈의 위치를 바꿔 생각해야 한다.
32×68 VS 44×52 → 68×32 VS 52×44 → (68-52)×32 VS 52×(44-32)
→ 16×32 VS 52×12 이므로, 52×12가 더 크다.

2) 곱셈간의 차이값을 구하는 사각 테크닉의 예시
68×28 - 52×36, 앞에서 배운 사각 테크닉을 그대로 적용하면,
(68-52)×28 - 52×(36-28) → 16×28 - 52×8 → 16×(28-26) = 32

만약, 한쪽의 곱셈의 값이 둘다 크다면 어떻게 될까?
56×48 - 51×38, 앞에서 배운 사각 테크닉을 그대로 적용하면,
(56-51)×48 - 51×(38-48) → 5×48 - 51×(-10) → 10×(24+51) = 750

한쪽씩 큰 경우는 좌측페이지의 사각형처럼 각각 한쪽씩 튀어나와 있기 때문에, -로 연결되는 반면,
한쪽이 모두 큰 경우에는 하나의 사각형이 다른 사각형을 모두 뒤덮기 때문에, +로 연결된다.

A×B - C×D의 이미지화	
A 〉 C, B 〈 D 인 경우	A 〉 C, B 〉 D 인 경우
(A-C)×B / C×B / C×(D-B)	(A-C)×B / C×D / C×(B-D)

연습문제 [두 곱셈의 대소를 비교하라.]

■ 문제지

01)	62	×	52	○	57	×	59
02)	20	×	72	○	16	×	79
03)	75	×	86	○	70	×	87
04)	49	×	63	○	47	×	66
05)	55	×	61	○	49	×	64
06)	16	×	55	○	8	×	58
07)	15	×	65	○	11	×	72
08)	36	×	86	○	35	×	91
09)	89	×	48	○	85	×	55
10)	58	×	68	○	56	×	75
11)	53	×	97	○	44	×	105
12)	83	×	30	○	81	×	36
13)	94	×	30	○	93	×	37
14)	12	×	79	○	10	×	84
15)	39	×	69	○	35	×	70
16)	23	×	65	○	15	×	72
17)	51	×	33	○	44	×	35
18)	72	×	18	○	69	×	27
19)	98	×	30	○	95	×	33
20)	56	×	62	○	55	×	67

■ 답안지

	좌항		우항		좌항		우항
01)	3224	〈	3363	11)	5141	〉	4620
02)	1440	〉	1264	12)	2490	〈	2916
03)	6450	〉	6090	13)	2820	〈	3441
04)	3087	〈	3102	14)	948	〉	840
05)	3355	〉	3136	15)	2691	〉	2450
06)	880	〉	464	16)	1495	〉	1080
07)	975	〉	792	17)	1683	〉	1540
08)	3096	〈	3185	18)	1296	〈	1863
09)	4272	〈	4675	19)	2940	〈	3135
10)	3944	〈	4200	20)	3472	〈	3685

연습문제 [두 곱셈의 대소를 비교하라.]

■ 문제지

01)	56	×	102	−	50	×	105	=
02)	61	×	52	−	55	×	55	=
03)	71	×	102	−	65	×	105	=
04)	155	×	35	−	130	×	40	=
05)	115	×	90	−	105	×	95	=
06)	102	×	148	−	100	×	150	=
07)	142	×	111	−	130	×	115	=
08)	46	×	144	−	40	×	145	=
09)	34	×	99	−	30	×	100	=
10)	148	×	117	−	142	×	120	=
11)	141	×	80	−	135	×	75	=
12)	103	×	38	−	95	×	30	=
13)	102	×	98	−	100	×	90	=
14)	117	×	141	−	115	×	140	=
15)	38	×	62	−	35	×	60	=
16)	108	×	132	−	105	×	125	=
17)	75	×	106	−	70	×	105	=
18)	37	×	32	−	35	×	25	=
19)	153	×	139	−	145	×	135	=
20)	106	×	72	−	100	×	70	=

■ 답안지

	좌항	우항	차이값		좌항	우항	차이값
01)	5712	5250	462	11)	11280	10125	1155
02)	3172	3025	147	12)	3914	2850	1064
03)	7242	6825	417	13)	9996	9000	996
04)	5425	5200	225	14)	16497	16100	397
05)	10350	9975	375	15)	2356	2100	256
06)	15096	15000	96	16)	14256	13125	1131
07)	15762	14950	812	17)	7950	7350	600
08)	6624	5800	824	18)	1184	875	309
09)	3366	3000	366	19)	21267	19575	1692
10)	17316	17040	276	20)	7632	7000	632

예제

다음 〈표〉는 2021년 국가별 GDP와 GDP 대비 수출액을 나타낸 것이다. 이에 대한 〈설명〉의 정오는?

〈표〉 국가별 GDP와 GDP 대비 수출액

(단위: 백만달러, %)

구분 \ 국가	가	나	다	라	마
GDP	42,157	36,281	69,217	67,215	29,152
GDP 대비 수출액	25.3	19.5	14.1	13.3	16.5

설명

1. 수출액이 가장 큰 지역은 가국이다. (O, X)
2. 수출액은 나국이 마국보다 20억 달러 이상 많다. (O, X)

✓ 자료

✓ 설명

▸ 목적 파트는?

▸ 정보 파트는?

▸ 정오 파트는? (사용한 테크닉은?)

관점 적용하기

1. (O) 수출액 = GDP × GDP 대비 수출액

가: 421 × 25.3%

곱셈의 논리적 사고로 인하여, '다'국과만 비교하면 충분하다. 사각테크닉을 이용해보자.

	가 국	다 국		가 국	다 국		가 국	다 국
GDP	421	692		421	(692−421)		421	271
	×	×	→	×	×	→	×	×
GDP 대비 수출액	253	141		(253−141)	141		112	141

※ 차이값이 잘 보이지 않는다면, 다른 테크닉을 이용하자.

가국: 421×112 = 40000↑ 다국: 271×141 = 40000↓ 이므로 가국이 다국 보다 크다.

2. (O) 수출액 = GDP × GDP 대비 수출액

차이 값에 대해서 물어보므로 사각테크닉을 이용해보자.

나국 = 362×19.5%, 마국 = 290×16.5% (단위 = 억)

362×19.5% − 290×16.5% = (362−291)×19.5% − 290×(16.5−19.5)%

= 72×19.5% + 290×3% = 3×(24×19.5%+290%) ≒ 4.8+2.9×3 = 20억↑

나국의 수출액은 마국의 수출액보다 20억 달러 이상 많다.

답 (O, O)

예제

다음 〈표〉는 5월의 버스 노선별 이용 승객수 및 이용요금에 관한 자료이다. 이에 대한 〈설명〉의 정오는?

〈표〉 5월의 버스 노선별 이용 승객수 및 이용요금 (단위: 천명, 원)

구분 \ 버스종류	일반	좌석	직행 좌석	외곽 순환	광역 급행
이용 승객 수	2,442	1,185	1,079	1,242	1,155
이용 요금	1,250	2,100	2,400	2,600	2,400

※ 매출액 = 이용 승객수 × 이용요금

설명

1. 매출액이 가장 큰 버스종류는 일반버스이다. (O, X)

2. 매출액은 광역급행버스가 좌석버스에 비해 3억원 이상 많다. (O, X)

✓ 자료

✓ 설명

▸ 목적 파트는?

▸ 정보 파트는?

▸ 정오 파트는? (사용한 테크닉은?)

관점 적용하기

1. (X) 매출액 = GDP × GDP 대비 수출액
   일반버스: 244 × 125
   곱셈의 논리적 사고로 인하여, 외곽순환만 비교하면 충분하다. 사각 테크닉을 이용해보자.

	일반 버스	외곽 순환		일반 버스	외곽 순환		일반 버스	외곽 순환
이용 승객	244	124		(244−124)	124		120	124
	×	×	→	×	×	→	×	×
이용 요금	125	260		125	(260−125)		125	135

※ 배수가 잘 보이지 않는다면, 다른 테크닉을 이용하자.

   외곽 순환이 일반 버스보다 크다.

2. (X) 매출액 = GDP × GDP 대비 수출액
   차이 값에 대해서 물어보므로 사각테크닉을 이용해보자.
   광역 = 1155×240, 좌석 = 1185×205 (단위 = 만원)
   1155×240 − 1185×210 = (240−210)×1155 − 210×(1185−1155)
   = 30×1155 − 210×30 = 30×(1155−210) = 30×945 = 30,000(만원)↓
   광역급행이 좌석버스에 비해 3억원 이상 많지 않다.

답 (X, X)

적용문제-01 (5급 17-38)

다음 〈그림〉은 A기업의 2011년과 2012년 자산총액의 항목별 구성비를 나타낸 자료이다. 이에 대한 〈설명〉의 정오는?

〈그림〉 자산총액의 항목별 구성비

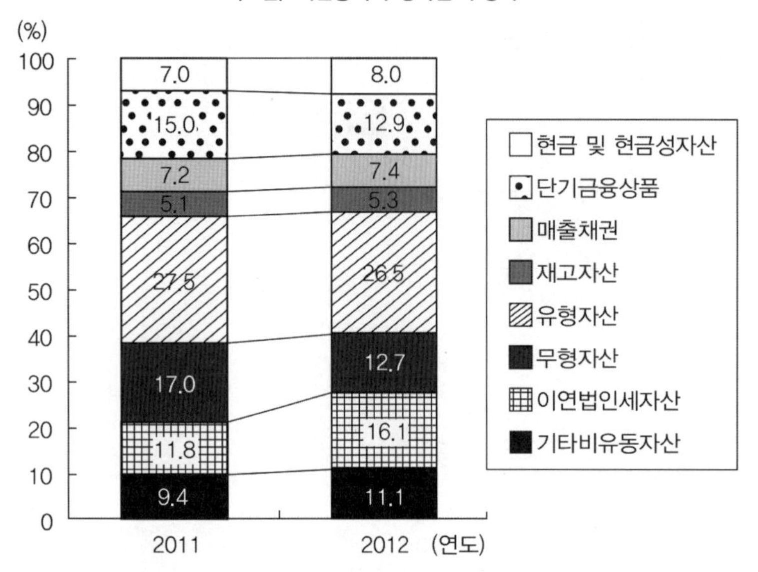

※ 1) 자산총액은 2011년 3,400억원, 2012년 2,850억원임.
2) 유동자산 = 현금및현금성자산 + 단기금융상품 + 매출채권 + 재고자산

설명

1. '현금및현금성자산' 금액은 2012년이 2011년보다 크다.

(O, X)

자료

설명

▸ 목적 파트는?

▸ 정보 파트는?

▸ 정오 파트는? (사용한 테크닉은?)

관점 적용하기

1. (X) 현금 및 현금성자산 = 자산총액×구성비
12년: 285×8, 11년 = 340×7 (공통사각형 = 285×7)

	12년	11년		12년	11년		12년	11년
자산총액	285	340		285	(340−285)		285	55
	×	×	→	×	×	→	×	×
구성비	8	7		(8−7)	7		1	7

※ 배수가 잘 보이지 않는다면, 다른 테크닉을 이용하자.

12년: 285×1 / 11년: 55×7 = 300↑
11년이 12년보다 크다.

답 (X)

적용문제-02 (5급 17-09)

다음 〈표〉는 2008 ~ 2013년 '갑'국 농 · 임업 생산액에 대한 자료이다. 이에 대한 〈설명〉의 정오는?

〈표〉 농 · 임업 생산액 현황

(단위: 10억원, %)

구분 \ 연도		2008	2009	2010	2011	2012	2013
농 · 임업 생산액		39,663	42,995	43,523	43,214	46,357	46,648
분야별 비중	곡물	23.6	20.2	15.6	18.5	17.5	18.3
	화훼	28.0	27.7	29.4	30.1	31.7	32.1
	과수	34.3	38.3	40.2	34.7	34.6	34.8

※ 1) 분야별 비중은 농 · 임업 생산액 대비 해당 분야의 생산액 비중임.
2) 곡물, 화훼, 과수는 농 · 임업의 일부 분야임.

설명

1. 화훼 생산액은 매년 증가한다.

(O, X)

자료

설명

▸ 목적 파트는?

▸ 정보 파트는?

▸ 정오 파트는? (사용한 테크닉은?)

관점 적용하기

1. (O) 화훼생산액 = 농임업 생산액×비중

설명의 반례를 찾자. '매년 증가한다.'의 반례는 감소한다.

→ 논리적 사고에 의해 생산액이 감소하기 위해서는 생산액과 비중 둘 중 1개 이상은 감소해야 한다.

	08→09	09→10	10→11	11→12	12→13
농입업 생산액	증가	증가	감소	증가	증가
비중	감소	증가	증가	증가	증가
비교 필요 여부	O	X	O	X	X

08년: 396×28.0, 09년: 429×27.7 사각테크닉을 적용하면 (공통사각형 = 396×27.7)

→ 08년: 396×0.3, 09년 = 33×27.7 → 08년: 39.6×3, 09년 = 33×27.7 → 09년이 더 크다.

10년: 435×29.4, 11년: 432×30.1 사각테크닉을 적용하면 (공통사각형 = 432×29.4)

→ 10년: 3×29.3, 09년 = 432×0.8 → 10년: 3×29.3, 11년 = 43.2×8 → 11년이 더 크다.

반례가 존재하지 않으므로, 매년 증가했다.

답 (O)

적용문제-03 (민 14-23)

다음 〈표〉는 '갑'국의 2013년 11월 군인 소속별 1인당 월지급액에 대한 자료이다. 이에 대한 〈설명〉의 정오는?

〈표〉 2013년 11월 군인 소속별 1인당 월지급액

(단위: 원, %)

구분 \ 소속	육군	해군	공군	해병대
1인당 월지급액	105,000	120,000	125,000	100,000
군인수 비중	30	20	30	20

※ 1) '갑'국 군인의 소속은 육군, 해군, 공군, 해병대로만 구분됨.
2) 2013년 11월, 12월 '갑'국의 소속별 군인수는 변동 없음.

설명

1. 2013년 11월 공군과 해병대의 월지급액 차이는 육군과 해군의 월지급액 차이의 2배 이상이다.

(O, X)

자료

설명

▸ 목적 파트는?

▸ 정보 파트는?

▸ 정오 파트는? (사용한 테크닉은?)

간단 퀴즈

Q 월 지급액이 가장 많은 소속은 어디인가?

A 공군

관점 적용하기

1. (O) 월지급액 = 1인당 월지급액 × 군인수 비중
공군과 해병대 → 공군: 125×30 해병대: 100×20 → 차이값: 125×30 − 100×20
사각테크닉을 적용하면 → (125−100)×30 − 100×(20−30) = 25×30 + 100×10 = 1750

육군과 해군 → 해군: 120×20 육군: 105×30 → 차이값: 120×20 − 105×30
사각테크닉을 적용하면 → (120−105)×20 − 105×(30−20) = 15×20 − 105×10 = 300−1050 = −750
(※ 부호가 -가 나온 이유는 해군보다 육군이 더 크기 때문)
→ 1750는 750의 2배 이상이므로,
공군과 해병대의 월지급액 차이가 육군과 해군의 월지급액 차이의 2배 이상이다.

답 (O)

적용문제-04 (5급 19-28)

다음 〈표〉는 '갑'국의 가사노동 부담형태에 대한 설문조사 결과이다. 이에 대한 〈설명〉의 정오는?

〈표〉 가사노동 부담형태에 대한 설문조사 결과

(단위: %)

구분 \ 부담형태		부인 전담	부부 공동분담	남편 전담	가사 도우미 활용
성별	남성	87.9	8.0	3.2	0.9
	여성	89.9	7.0	2.1	1.0
연령대	20대	75.6	19.4	4.1	0.9
	30대	86.4	10.4	2.5	0.7
	40대	90.7	6.4	1.9	1.0
	50대	91.1	5.9	2.6	0.4
	60대 이상	88.4	6.7	3.5	1.4
경제활동 상태	취업자	90.1	6.7	2.3	0.9
	미취업자	87.4	8.6	3.0	1.0

※ '갑'국 20세 이상 기혼자 100,000명(남성 45,000명, 여성 55,000명)을 대상으로 동일시점에 조사하였으며 무응답과 중복응답은 없음.

설명

1. 가사노동을 부인이 전담한다고 응답한 남성과 여성의 응답자 수 차이는 8,500명 이상임.

(O, X)

자료

설명

▸ 목적 파트는?

▸ 정보 파트는?

▸ 정오 파트는? (사용한 테크닉은?)

간단 퀴즈

Q 동일한 부부를 조사했음에도, 남성과 여성의 비율이 다른 이유는 무엇일까?

A 주관적이기 때문이다.

관점 적용하기

1. (O) 응답자 수 = 전체 응답자 수 × 설문조사 결과비중
   남성: 45,000×87.9% 여성: 55,000×89.9%
   여성이 남성보다 전체 응답자 수도 많고, 비중도 크므로, 차이값을 구할 때는 여성이 앞으로 간다.
   차이값: 55,000×89.9% − 45,000×87.9% → 55×89.9% − 45×87.9% (단위: 천)
   사각테크닉을 적용하면 → (55−45)×89.9% − 45×(87.9%−89.9%) = 10×89.9% + 45×2%
   10×89.9%만 생각해도 8,500명 이상이므로, 남성과 여성응답자의 차이는 8,500명 이상이다.

답 (O)

적용문제-05 (5급 18-16)

다음 〈표〉는 A～E 리조트의 1박 기준 일반요금 및 회원할인율에 관한 자료이다. 이에 대한 〈설명〉의 정오는?

〈표 1〉 비수기 및 성수기 일반요금(1박 기준)

(단위: 천 원)

구분 \ 리조트	A	B	C	D	E
비수기 일반요금	300	250	200	150	100
성수기 일반요금	500	350	300	250	200

〈표 2〉 비수기 및 성수기 회원할인율(1박 기준)

(단위: %)

구분	회원유형 \ 리조트	A	B	C	D	E
비수기 회원할인율	기명	50	45	40	30	20
	무기명	35	40	25	20	15
성수기 회원할인율	기명	35	30	30	25	15
	무기명	30	25	20	15	10

※ 회원할인율(%) = $\frac{\text{일반요금} - \text{회원요금}}{\text{일반요금}} \times 100$

설명

1. 리조트 1박 기준, B 리조트의 회원요금 중 가장 높은 값과 가장 낮은 값의 차이는 125,000원이다.

(O, X)

자료

설명

▸ 목적 파트는?

▸ 정보 파트는?

▸ 정오 파트는? (사용한 테크닉은?)

간단 퀴즈

Q 할인율은 어떻게 이해해야 할까?

A 현실의 할인율처럼

관점 적용하기

1. (O) 회원요금 = 일반요금 × (1−할인율)
   회원요금이 높기 위해서는 일반요금과 (1−할인율)이 모두 높을수록 좋고,
   일반요금의 경우 성수기가 더 높고, (1−할인율)도 성수기가 더 높다.
   회원요금이 낮기 위해서는 일반요금과 (1−할인율)이 모두 낮을수록 좋다
   일반요금의 경우 비수기가 더 낮고, (1−할인율)도 비수기가 더 높다.
   따라서, 회원요금이 가장 높은 것은 성수기 무기명, 가장 낮은 것은 비수기 기명이다.
   성수기 무기명: 350×75% 비수기 기명: 250×55% → 차이값: 350×75% − 250×55% (단위: 천)
   사각테크닉을 적용하면
   → (350−250)×75% − 250×(55−75)% = 100×75% + 250×20% = 75 + 50 = 125(천원)
   가장 높은 값과 가장 낮은 값의 차이는 125,000원이다.

답 (O)

적용문제-06 (민 15-10)

다음 〈표〉는 A발전회사의 연도별 발전량 및 신재생에너지 공급 현황에 관한 자료이다. 이에 대한 〈설명〉의 정오는?

〈표〉 A발전회사의 연도별 발전량 및 신재생에너지 공급 현황

구분 \ 연도		2012	2013	2014
발전량(GWh)		55,000	51,000	52,000
신재생 에너지	공급의무율(%)	1.4	2.0	3.0
	자체공급량(GWh)	75	380	690
	인증서구입량(GWh)	15	70	160

※ 1) 공급의무율(%) = $\frac{\text{공급의무량}}{\text{발전량}} \times 100$

2) 이행량(GWh) = 자체공급량 + 인증서구입량

설명

1. 공급의무량과 이행량의 차이는 매년 증가한다.

(O, X)

자료

설명

▸ 목적 파트는?

▸ 정보 파트는?

▸ 정오 파트는? (사용한 테크닉은?)

관점 적용하기

1. (X) 공급의무량 = 발전량×의무율, 이행량 = 자체 + 인증서
차이가 매년 증가한다.
논리적 사고에 의해 차이가 매년 증가하기 위해서는 다음의 조건을 만족해야 한다.
A-B의 차이가 매년 커진다는 것은, (단, A〉B)
A의 증가량 〉 B의 증가량이라는 것을 의미한다.
2012년의 공급의무량과 이행량을 비교해보면,
공급의무량 = 55,000×1.4% = 770 이행량 = 90
따라서, A = 공급의무량이고 B = 이행량이다.
매년 A의 증가량이 B의 증가량보다 큰지 확인하자.

12→13년 공급의무량
12년: 55000×1.4% 13년: 51000×2.0% → 차이값: 55×1.4 − 51×2.0 (단위: 십)
사각테크닉을 적용하면 → (55−51)×1.4 − 51×(2.0−1.4) = 4×1.4 − 51×0.6 = 5.6 - 30.6 = −25(단위: 십)
공급의무량의 증가폭은 250이다.
반면, 이행량의 증가폭은 자체공급량 증가폭 305, 인증서구입량 증가폭 55으로 증가폭이 360이다.
따라서, 논리적 사고에 의하여 공급의무량과 이행량의 차이는 매년 증가하지 않는다.

답 (X)

2 곱셈 비교 - 03. 합차 테크닉

Q 합차 테크닉은 언제 사용하나요?

곱셈의 합차 테크닉은 곱셈 비교 테크닉 중 하나이므로
당연하게, 곱셈 비교처럼 아래와 같은 자료과 설명의 형태를 지닌 경우에 사용 될수 있다.

〈표〉 국가별 GDP와 GDP 대비 수출액

구분 \ 국가	가	나	다	라	마
GDP	42157	36281	69217	67215	29052
GDP 대비 수출액	25.3	19.5	14.1	13.3	16.5

설명

1. 나국은 라국보다 수출액이 많다.

(O, X)

곱셈 비교와 동일하게 설명의 목적이 항목들의 곱셈으로 구성된다.

Q 합차 테크닉에 대해서 알려주세요.

합차 테크닉의 정의
$(x-a)(x+a)=x^2-a^2$
곱셈의 값은 두 숫자의 합(x)이 크거나, 두 숫자의 차(a)가 작아질수록 커진다.
만약, 두 숫자의 합이 같다면, 차가 작을수록 커진다.

A×B와 C×D에서 논리적 사고로 비교가 안되는 경우는 둘 중 1개는 더 크고, 하나는 더 작을 때이다.
이것을 수직선(number line)에 점으로 표현하면 다음과 같다.

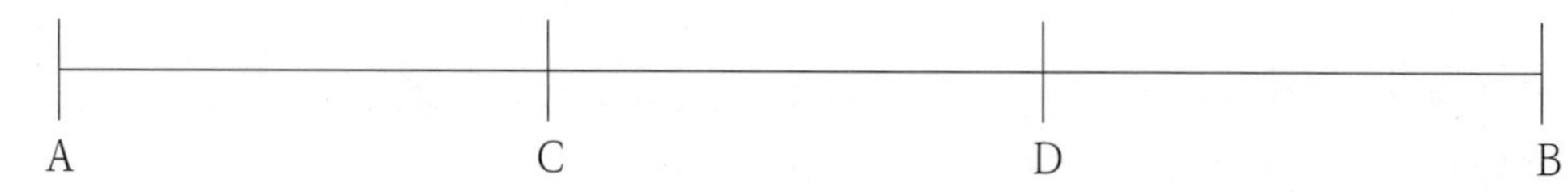

즉, 수직선(number line)기준으로 하나의 곱셈(A×B)은 밖으로, 하나의 곱셈(C×D)은 안으로 배치된다.
만약, A+B와 C+D가 같다면, 합차 테크닉에 의하여 두 개의 차가 작은 안쪽에 있는 곱셈이 더 크게 된다.

위의 2가지 개념
1) 논리적 비교로 해결되지 않는 곱셈비교의 숫자 위치는 바깥쌍과 안쌍으로 구성되므로,
2) 합차 테크닉 = 합이 같다면 차가 작을수록 곱셈의 값이 커진다.
→ 따라서, 두 개의 곱셈의 합을 같게 만든다면, 안쌍의 곱셈이 더 크다.

그렇다면, 곱셈의 합을 어떻게 알 수 있을까?
곱셈의 합이 같으므로 A+B = C+D이므로, A-C = D-B 차이값이 같은 경우에 합이 같게 된다.
즉, 곱셈의 합(A+B, C+D)이 같은지는 차이값(A-C, D-B)이 같은지를 통해서 확인할 수 있다.

✽ 노래로 배우는 합차 테크닉
차이값을 확인해~ 확인해~ 차이값을 같게해~ 같게해~
큰숫자 쌍 중엔 작은 숫자! 작은숫자 쌍 중엔 큰 숫자!

Q 합차 테크닉에 대한 예시를 조금 더 보여주세요

53×32과 47×38, 곱셈의 숫자가 바깥쌍과 안쌍 2개로 구성되므로,
앞에서 배운 합차 테크닉을 적용 해보기 위해 차이값이 같은지 생각해보자.
차이값 확인하기 → 53-47 = 6, 38-32 = 6 → 차이값이 같으므로, 합차가 성립한다.
따라서, 안쪽에 있는 숫자인 47×38가 더 크다.

43×22과 37×25, 곱셈의 숫자가 바깥쌍과 안쌍 2개로 구성되므로,
앞에서 배운 합차 테크닉을 적용 해보기 위해 차이값이 같은지 생각해보자.
차이값 확인하기 → 43-37 = 6, 25-22 = 3 차이값이 같지 않으므로, 합차를 사용할 수 없다.
합차를 사용하기 위해 차이값을 같게 만들어 주자.
43-37과 25-22의 차이값이 2배 차이이므로, 25와 22의 값을 2배로 만들어준다면,
차이값이 6으로 증가하여 차이값을 같게 만들 수 있다.
즉, 43×22과 37×25 → 43×44과 37×50이므로, 안쪽에 있는 숫자인 43×44가 더 크다.

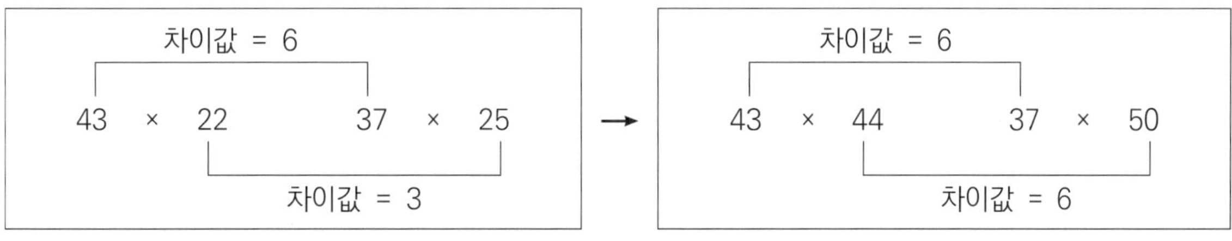

차이값이 다른 경우를 하나만 더 예시로 들어보자.
49×67과 52×59, 곱셈의 숫자가 바깥쌍과 안쌍 2개로 구성되므로,
합차 테크닉을 적용 해보기 위해 차이값이 같은지 생각해보자.
차이값 확인하기 → 52-49 = 3, 67-59 = 8 차이값이 같지 않으므로, 합차를 사용 할 수 없다.
차이값을 같게 만들기 위해서는 52와 49를 2.33배 곱해야 한다.

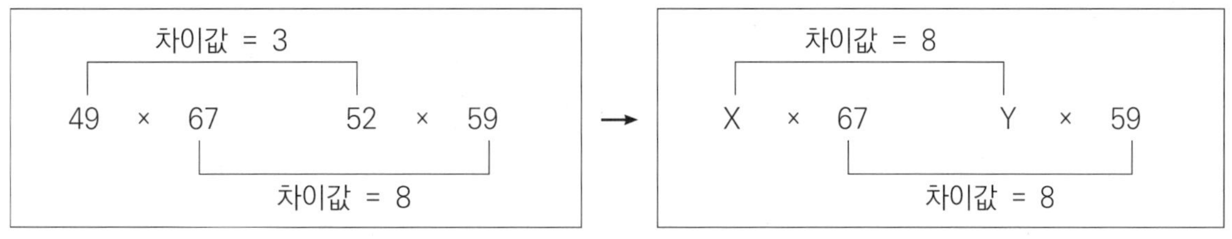

곱한값을 실제로 구하지 말고, 수직선(number line)에 어디에 위치하는지 생각해보자.
그렇다면, X와 Y는 수직선 기준 우측의 2개의 숫자가 될 것이고, 남은 67과 59이 좌측의 2개 숫자가 된다.
안쌍의 숫자가 더 크므로, 59과 67중 안쌍 숫자인 67을 포함하고 있는 49×67이 더 크다.

연습문제

■ 문제지

01)	40	×	68	○	51	×	57
02)	31	×	67	○	19	×	79
03)	45	×	55	○	75	×	25
04)	64	×	88	○	53	×	99
05)	49	×	79	○	61	×	67
06)	82	×	80	○	64	×	98
07)	94	×	41	○	84	×	51
08)	80	×	45	○	66	×	59
09)	36	×	56	○	17	×	75
10)	89	×	92	○	117	×	64
11)	81	×	62	○	70	×	73
12)	60	×	71	○	32	×	99
13)	41	×	31	○	64	×	8
14)	72	×	68	○	83	×	57
15)	67	×	44	○	48	×	63
16)	37	×	48	○	62	×	23
17)	89	×	96	○	93	×	92
18)	48	×	31	○	24	×	55
19)	32	×	89	○	54	×	67
20)	67	×	85	○	50	×	102

■ 답안지

	좌항		우항		좌항		우항
01)	2720	〈	2907	11)	5022	〈	5110
02)	2077	〉	1501	12)	4260	〉	3168
03)	2475	〉	1875	13)	1271	〉	512
04)	5632	〉	5247	14)	4896	〉	4731
05)	3871	〈	4087	15)	2948	〈	3024
06)	6560	〉	6272	16)	1776	〉	1426
07)	3854	〈	4284	17)	8544	〈	8556
08)	3600	〈	3894	18)	1488	〉	1320
09)	2016	〉	1275	19)	2848	〈	3618
10)	8188	〉	7488	20)	5695	〉	5100

연습문제

■ 문제지

01)	45	×	96	○	40	×	131
02)	98	×	52	○	102	×	24
03)	42	×	90	○	38	×	106
04)	62	×	54	○	65	×	45
05)	33	×	40	○	31	×	46
06)	51	×	56	○	49	×	60
07)	33	×	69	○	35	×	63
08)	80	×	65	○	82	×	55
09)	46	×	37	○	48	×	31
10)	32	×	49	○	37	×	34
11)	88	×	74	○	84	×	86
12)	32	×	41	○	34	×	35
13)	43	×	59	○	48	×	39
14)	59	×	96	○	55	×	116
15)	35	×	53	○	39	×	37
16)	45	×	82	○	44	×	85
17)	93	×	34	○	92	×	40
18)	66	×	51	○	64	×	57
19)	49	×	63	○	53	×	55
20)	32	×	62	○	37	×	37

■ 답안지

	좌항		우항		좌항		우항
01)	4320	〈	5240	11)	6512	〈	7224
02)	5096	〉	2448	12)	1312	〉	1190
03)	3780	〈	4028	13)	2537	〉	1872
04)	3348	〉	2925	14)	5664	〈	6380
05)	1320	〈	1426	15)	1855	〉	1443
06)	2856	〈	2940	16)	3690	〈	3740
07)	2277	〉	2205	17)	3162	〈	3680
08)	5200	〉	4510	18)	3366	〈	3648
09)	1702	〉	1488	19)	3087	〉	2915
10)	1568	〉	1258	20)	1984	〉	1369

예제

다음 〈표〉는 2021년 국가별 GDP와 GDP 대비 수출액을 나타낸 것이다. 이에 대한 〈설명〉의 정오는?

〈표〉 국가별 GDP와 GDP 대비 수출액

(단위: 백만달러, %)

구분 \ 국가	가	나	다	라	마
GDP	42,157	36,281	69,217	67,215	29,152
GDP 대비 수출액	25.3	19.5	14.1	13.3	16.5

설명

1. 나국은 라국보다 수출액이 많다.

(O, X)

자료

설명

▸ 목적 파트는?

▸ 정보 파트는?

▸ 정오 파트는? (사용한 테크닉은?)

관점 적용하기

1. (X) 수출액 = GDP × GDP 대비 수출액

나: 362 × 19.5% / 라: 672×13.3%

	나 국	라 국		차이값		차이값 가공		나 국	라 국
GDP	362	672		310		×1		362	672
	×	×	→		→		→	×	×
GDP 대비 수출액	195	133		62		×5		195×5=975	133×5=665

※ 차이값을 가공하기 힘들다면, 다른 테크닉을 이용하자.

합을 같게 가공했을 때, 라의 차가 더 작으므로, 라국이 나국보다 크다.

(※ ×5의 값을 실제로 구하지 않고 위치적으로 판단할 수 있으면 가장 좋다.)

답 (X)

예제

다음 〈표〉는 고릴라의 요일별 운동루틴에 관한 자료이다. 이에 대한 〈설명〉의 정오는?

〈표〉 '고릴라'의 요일별 운동 루틴

(단위: kg, 회)

구분 \ 요일	월	화	수	목	금
운동 무게(kg)	155	145	135	120	95
횟수(회)	8	10	12	15	20

※ 볼륨 = 운동 무게 × 횟수

설명

1. 운동 무게가 낮을수록 볼륨은 커진다.

(O, X)

✔ 자료

✔ 설명

▸ 목적 파트는?

▸ 정보 파트는?

▸ 정오 파트는? (사용한 테크닉은?)

관점 적용하기

1. (O) 운동 무게 = 운동 무게 / 볼륨 = 무게 × 횟수
   운동 무게가 볼륨보다 구하기 쉬우므로, 운동 무게는 금 〈 목 〈 수 〈 화 〈 월이다.
   월요일(155×8) VS 화요일(145×10) 차이값 = (10, 2) → 2를 10으로 만들자.
   → 155×40 VS 145×50 → 차이값이 더 작은 145×10가 155×8보다 크다.
   화요일(145×10) VS 수요일(135×12) 차이값 = (10, 2) → 2를 10으로 만들자.
   → 145×50 VS 135×60 → 차이값이 더 작은 135×12가 145×10보다 크다.
   수요일(135×12) VS 목요일(120×15) 차이값 = (15, 3) → 3를 15로 만들자.
   → 135×60 VS 120×75 → 차이값이 더 작은 120×15가 135×12보다 크다.
   목요일(120×15) VS 금요일(95×20) 차이값 = (25, 5) → 5를 25로 만들자.
   → 120×75 VS 95×100 → 차이값이 더 작은 95×20이 120×15보다 크다.
   운동 볼륨은 금 〉 목 〉 수 〉 화 〉 월 순이므로 옳다.

답 (O)

적용문제-01 (5급 18-16)

다음 〈표〉는 A～E 리조트의 1박 기준 일반요금 및 회원할인율에 관한 자료이다. 이에 대한 〈설명〉의 정오는?

〈표 1〉 비수기 및 성수기 일반요금(1박 기준)

(단위: 천 원)

구분 \ 리조트	A	B	C	D	E
비수기 일반요금	300	250	200	150	100
성수기 일반요금	500	350	300	250	200

〈표 2〉 비수기 및 성수기 회원할인율(1박 기준)

(단위: %)

구분	회원유형 \ 리조트	A	B	C	D	E
비수기 회원할인율	기명	50	45	40	30	20
	무기명	35	40	25	20	15
성수기 회원할인율	기명	35	30	30	25	15
	무기명	30	25	20	15	10

※ 회원할인율(%) $= \dfrac{\text{일반요금} - \text{회원요금}}{\text{일반요금}} \times 100$

설명

1. 리조트 1박 기준, 성수기 일반요금이 낮은 리조트일수록 성수기 무기명 회원요금이 낮다.

(O, X)

자료

설명

▸ 목적 파트는?

▸ 정보 파트는?

▸ 정오 파트는? (사용한 테크닉은?)

간단 퀴즈

Q 할인율은 어떻게 이해해야 할까?

A 현실의 할인율처럼

관점 적용하기

1. (O) 성수기 일반요금, 성수기 무기명 회원요금 = 일반요금 × (1−할인율)
   성수기 일반요금은 A〉B〉C〉D〉E순이다. 성수기 무기명 회원요금도 A〉B〉C〉D〉E순인가?
   일반 요금을 10으로 나누어 생각하면,

	A	B	C	D	E
성수기 일반요금	50	35	30	25	20
1−할인율	70	75	80	85	90

B~E까지는 성수기 일반요금의 차이값은 5이고, 1−할인율의 차이값도 5이다.
따라서, 합차가 성립된다. 즉, 차가 작은 순서대로 곱셈의 값이 커진다. B〉C〉D〉E 순이다.

* A와 B의 비교
  A: 50×70 B: 35×75
  50과 35의 차이값은 15 70과 75의 차이값은 5이므로, 차이값 5를 3배로 만들어 차이값을 같게 만들자.
  A: 50×210 B: 35×225 → A가 두 숫자간의 거리가 더 가깝기 때문에 A〉B이다.
  즉, 성수기 무기명 회원요금은 A〉B〉C〉D〉E순이다.
  (※ 다른 비교테크닉을 사용해도 좋다.)

답 (O)

적용문제-02 (5급 21-24)

다음 〈그림〉은 A ~ E 학교의 장학금에 대한 자료이다. 이를 근거로 해당 학교의 전체 학생 중 장학금 수혜자 비율이 가장 큰 학교부터 순서대로 나열한 것은?

〈그림〉 학교별 장학금 신청률과 수혜율

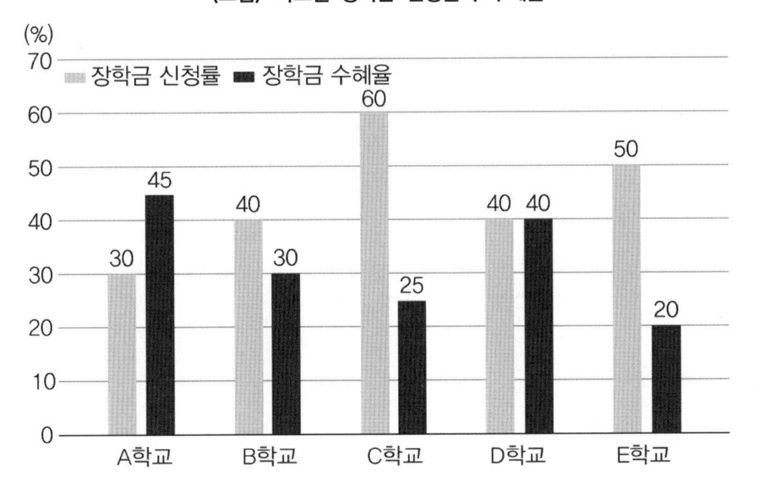

※ 1) 장학금 신청률(%) = $\frac{\text{장학금 신청자}}{\text{전체 학생}} \times 100$

2) 장학금 수혜율(%) = $\frac{\text{장학금 수혜자}}{\text{장학금 신청자}} \times 100$

① A, B, D, E, C
② A, D, B, C, E
③ C, E, B, D, A
④ D, C, A, B, E
⑤ E, D, C, A, B

자료

설명

▸ 목적 파트는?

▸ 정보 파트는?

▸ 정오 파트는? (사용한 테크닉은?)

간단 퀴즈

Q A~E학교 중 무엇을 기준으로 잡는 것이 가장 좋을까? (가시적으로 생각하기)

A D학교

관점 적용하기

전체 학생 중 장학금 수혜자 = 신청률 × 수혜율

	A	B	C	D	E
신청률	30	40	60	40	50
수혜율	45	30	25	40	20
합	75	70	85	80	70
차	15	10	35	0	30

합차 테크닉에 의하면, 합이 클수록, 차가 작을수록 곱셈의 값이 크다.
논리적 사고에 의하여 C와 D를 제외한 나머지는 합이 작거나, 차가 커서 비교를 할 필요가 없다.
C와 D를 비교해보자.
C = 60×25, D = 40×40 → 차이값 = 20, 15 이므로, 합차 테크닉 보다는 다른 테크닉을 이용하자.
사각 테크닉을 이용해보면,
C = 60×25, D = 40×40 → 공통사각형 (40×25) → C = 20×25=500, D = 40×15=600
D가 가장 크다. 따라서, 정답은 ④이다.

답 ④

적용문제-03 (5급 13-36)

다음 〈표〉는 갑 자동차 회사의 TV 광고모델 후보 5명에 대한 자료이다. 〈조건〉을 적용하여 광고모델을 선정할 때, 총 광고효과가 가장 큰 모델은?

〈표〉 광고모델별 1년 계약금 및 광고 1회당 광고효과

(단위: 만원)

광고모델	1년 계약금	1회당 광고효과	
		수익 증대 효과	브랜드 가치 증대 효과
지후	1,000	100	100
문희	600	60	100
석이	700	60	110
서현	800	50	140
슬이	1,200	110	110

조건

- 광고효과는 수익 증대 효과와 브랜드 가치 증대 효과로만 구성된다.

  총 광고효과 = 1회당 광고효과 × 1년 광고횟수

  1회당 광고효과 = 1회당 수익 증대 효과 + 1회당 브랜드 가치 증대 효과

- 1회당 광고비는 20만원으로 고정되어 있다.

  $$1년\ 광고횟수 = \frac{1년\ 광고비}{1회당\ 광고비}$$

- 1년 광고비는 3,000만원(고정값)에서 1년 계약금을 뺀 금액이다.

  1년 광고비 = 3,000만원 - 1년 계약금

※ 광고는 TV를 통해서만 1년 내에 모두 방송됨.

① 지후 ② 문희
③ 석이 ④ 서현
⑤ 슬이

자료

설명

▸ 목적 파트는?

▸ 정보 파트는?

▸ 정오 파트는? (사용한 테크닉은?)

간단 퀴즈

Q 계약비가 비싸면 1회당 광고효과가 높아질까?

A 일반적으로 그렇다.

관점 적용하기

$$총\ 광고효과 = 1회당\ 광고효과 \times 1년\ 광고횟수 = (1회당\ 광고효과) \times \frac{3{,}000 - 계약금}{20}$$

비교만 생각한다면, (1회당 광고효과)×(3000−계약금)이다.
광고비 = 3000−계약금으로 가정하고 각각 10씩 나누어주면,

	지후	문희	석이	서현	슬이
1회당 광고효과	200	160	170	190	220
광고비	200	240	230	220	180
합	400	400	400	410	400
차	0	80	60	30	40

서현을 제외하면 모두 합이 400으로 동일하다. 따라서 차가 0인 지후가 가장 크다.
지후와 서현을 비교하자. → 지후: 200×200, 서현: 190×220 합차 테크닉을 적용하면,
공통사각형 (190×200), 지후: 10×200, 서현: 190×20 → 서현이 더 크다. 따라서 정답은 ④이다.

답 ④

적용문제-04 (5급 11-20)

다음 〈표〉와 〈조건〉은 대중교통 환승유형과 환승정책에 관한 자료이다. 신규 환승정책 시행 전과 시행 후를 비교할 때, A ~ E의 환승유형을 연간 총 교통요금 절감액이 큰 순서대로 나열한 것은?

〈표〉 연간 환승유형별 이용건수

(단위: 천건)

환승유형	환승내용	연간 환승유형 이용건수
A	버스 → 버스	1,650
B	버스 → 지하철	1,700
C	지하철 → 버스	1,150
D	버스 → 버스 → 버스	800
E	버스 → 지하철 → 버스	600

※ 1) '→'는 환승을 의미함.
2) 환승유형 이용 1건은 1명이 이용한 것을 의미함.
3) 연간 환승유형별 이용건수는 신규 환승정책 시행 전과 시행 후가 동일함.

조건

- 모든 승객은 교통카드만 이용하고, 교통카드를 통해서 환승유형(A ~ E)이 확인되었다.
- 신규 환승정책 시행 전후, 지하철과 버스의 기본요금은 각각 950원이고 기본요금에 대한 요금할인은 없다.
- 신규 환승정책 시행 전에는 대중교통 수단을 이용할 때마다 각각의 기본요금을 지불하였다.
- 신규 환승정책 시행 후에는 환승유형 이용 1건당 지불요금은 다음과 같다.
  - 최초 탑승시 기본요금
  - 동일 교통수단으로 환승할 때마다 150원의 환승요금
  - 다른 교통수단으로 환승할 때마다 200원의 환승요금

① A - B - D - C - E
② A - D - B - E - C
③ B - A - D - C - E
④ D - A - B - E - C
⑤ D - B - A - C - E

✓ 자료

✓ 설명

▸ 목적 파트는?

▸ 정보 파트는?

▸ 정오 파트는? (사용한 테크닉은?)

관점 적용하기

절감액 = 환승 이용건수 × 환승 할인액

	A	B	C	D	E
이용건수	1650	1700	1150	800	600
할인액	950−150=800	950−200=750	950−200=750	1900−300=1600	1900−400=1500
합	2450	2450	1900	2400	2100
차	850	950	400	800	1500

선지에 의하여 A, B, D중 1등이 존재하므로 A, B, D만 비교하자.
A와 B는 합이 같으므로 차가 작은 A 〉 B이다. A와 D는 1650×800(A)과 800×1600(D)의 비교이므로 A 〉 D이다.
선지에 의하여 ① 또는 ②가 답이므로, B와 D만 비교하면 된다.
B와 D에 합차테크닉을 적용해보자. 1700과 1600의 차이값은 100이고, 800과 750의 차이값은 50이므로 800과 750을 두 배로 만들어주면 1700×1500(B)와 1600×1600(D)이므로 D가 더 크다. 정답은 ②이다.

답 ②

2 곱셈 비교 - 요약

Q 곱셈 비교의 흐름도

일반적인 곱셈 비교의 흐름은 다음과 같다.

step ① 후보군 → 정오판단 기준잡기 (반례찾기)

↓

step ② 공통과 차이 → 공통부분 무시 (동일 자릿수 무시)

↓

step ③ 계산의 2단계 → 논리적 사고와 어림셈 이용하기

↓

step ④ 계산이 아닌 가공 → 비교 테크닉(돋보기)을 이용한 비교하기

※ 대부분의 문제는(80%↑) step ③에서 해결된다. 추가로 필요할 때만 step ④를 활용하자.

각 대표 설명의 유형에 따른 세세한 접근 방법은 우측에 주어져 있다.

Q 논리적 사고란 무엇인가요?

논리적 사고란 곱셈의 값을 실제로 구하지 않고도 '논리적'으로 당연한 결과를 생각하는 것을 말한다.

예를 들어 A×B와 C×D를 비교할 때,
곱셈을 구성하는 숫자가 각각 증가하면 더 크고, (A×B → C×D 기준, A 〈 C, B 〈 D)
곱셈을 구성하는 숫자가 각각 감소하면 더 작다. (A×B → C×D 기준, A 〉 C, B 〉 D)
반면, 둘 중 하나는 작고, 하나는 크다면 추가적인 확인이 필요하다.

A×B VS C×D	A 〉 C	A 〈 C
B 〉 D	A×B 〉 C×D	추가 확인 필요
B 〈 D	추가 확인 필요	A×B 〈 C×D

Q 대표 설명별 접근법 요약

대표 설명별 접근법

■ 다수의 곱셈의 대소를 비교하는 형태 ex) 수출액이 가장 큰 지역은 가국이다.

1) 후보군 : '가'국 → 2) 고정값 만들기 : '가'국 어림셈 → 3) 처낼 것 처내기 : 고정값으로 비교 → 4) 남은 것 비교 테크닉 : 배수, 사각, 합차

■ 곱셈과 고정값을 비교하는 형태 ex) 모든 국가의 수출액은 100억달러 이상이다.

1) 후보군 (반례 찾기) : 가장 작은 국가 찾기 → 2) 비교 테크닉 : 가장 작을 국가 찾기 → 3) 고정값과 비교 : 가장 작은 국가비교

■ 2개의 곱셈의 대소를 비교하는 형태 ex) 나국은 라국보다 수출액이 많다.

1) 배수가 예쁘게 보인다면 : 배수 테크닉 → 2) 차이값이 작다면 : 사각 테크닉 → 3) 합차가 보인다면 : 합차 테크닉

■ 2개의 곱셈의 배수를 구하는 형태 ex) 수출액은 가국이 마국의 2배 이상이다.

1) 설명의 배수값을 이용 : 2배를 이용 → 2) 배수가 예쁘게 보인다면 : 배수 테크닉 → 3) 배수가 안 보인다면 : 2배하여 비교 테크닉

■ 2개의 곱셈의 차이값을 구하는 형태 ex) 나국의 수출액은 마국의 수출액 보다 20억 이상 많다.

1) 사각 테크닉을 이용 : 앞에선~ 앞에꺼 빼고~ 뒤에껀 그대로~ 빼빼빼빼~빼고~ 뒤에선 뒤에꺼 빼고~ 앞에껀 그대로

관점 익히기

분수 비교의 접근 단계
1단계 어림셈과 논리 통해 쳐낼 것 쳐내는 단계
2단계 쳐내지지 않은 것을 비교 테크닉을 통해 비교하는 단계
※ 비교 테크닉 = 배수 테크닉, 기울기 테크닉, 뺄셈 테크닉

3 분수 비교 <Day.4>

Q 분수 비교란 무엇인가요?

아래와 같은 자료과 설명의 형태를 지닌 경우에 해야 할 것이 분수 비교이다.

〈표〉 2008~2012년 '갑'사의 매출액과 영업이익

항목 \ 연도	08	09	10	11	12
매출액	418	634	800	805	964
영업이익	131	243	300	398	318

※ 영업이익률(%) = $\frac{\text{영업이익}}{\text{매출액}} \times 100$

설명

1. 영업이익률이 가장 큰 해는 11년이다.

(O, X)

분수 비교는 설명의 목적이 항목들의 곱셈으로 구성된다.
설명의 목적이 분수로 구성된 유형은 아래의 5가지로 주어진다.

1) 다수의 분수의 대소를 비교하는 형태 → 영업이익률이 가장 큰 해는 11년이다.
2) 분수와 고정값을 비교하는 형태 → 매년 영업이익률은 35% 이상이다.
3) 2개의 분수의 대소를 비교하는 형태 → 영업이익률은 08년이 12년보다 크다.
4) 2개의 분수의 배수를 구하는 형태 → 영업이익률은 11년이 08년의 1.5배 이상이다.
5) 2개의 분수의 차이값을 구하는 형태 → 10년 영업이익률은 08년 대비 5%p 이상 증가했다.

Q 분수 비교 유형에 관점은 어떻게 적용할 수 있나요?

분수 비교 유형은 다음과 같은 4개의 step으로 관점이 적용된다.

step ① 후보군 → 정오판단 기준잡기 (반례찾기)

↓

step ② 공통과 차이 → 공통부분 무시 (동일 자릿수 무시)

↓

step ③ 계산의 2단계 → 논리적 사고와 어림셈 이용하기

↓

step ④ 계산이 아닌 가공 → 비교 테크닉(돋보기)을 이용한 비교하기

※ 대부분의 문제는(80%↑) step ③에서 해결된다. 추가로 필요할 때만 step ④를 활용하자.

이중 '값' 자체를 물어보는 유형인 2) 분수와 고정값을 비교하는 형태와 5) 분수간의 차이값을 구하는 형태에서는 동일 자릿수를 무시하되, 자릿수의 크기는 생각해야 한다.

Q 논리적 사고란 무엇인가요?

논리적 사고란 곱셈의 값을 실제로 구하지 않고도 '논리적'으로 당연한 결과를 생각하는 것을 말한다.

예를 들어 $\frac{A}{B}$와 $\frac{C}{D}$를 비교할 때,

분자는 커지고 분모가 작아지면 더 크고, ($\frac{A}{B} \rightarrow \frac{C}{D}$ 기준, A 〈 C, B 〉 D)

분자는 작아지고 분모가 커지면 더 작다. ($\frac{A}{B} \rightarrow \frac{C}{D}$ 기준, A 〉 C, B 〈 D)

반면, 분자와 분모 모두 크거나, 모두 작다면 추가적인 확인이 필요하다.

$\frac{A}{B}$ VS $\frac{C}{D}$	A 〉 C (분자)	A 〈 C (분자)
B 〉 D (분모)	추가 확인 필요	$\frac{A}{B}$ 〈 $\frac{C}{D}$
B 〈 D (분모)	$\frac{A}{B}$ 〉 $\frac{C}{D}$	추가 확인 필요

Q 비교테크닉이 무엇인가요?

곱셈의 비교테크닉은 총 3가지로 구성된다.

① 배수테크닉:
분자와 분모의 배수 관계를 이용하여 비교하는 테크닉
$\frac{A}{B}$ 〉? $\frac{C}{D}$ → $\frac{A/C}{B/D}$ 〉? 1 (※ 두 곱셈의 배수를 알 수 있음.)
(A/C = 분자의 배수 관계, B/D는 분모의 배수 관계)

② 기울기 테크닉 :
플마 찢기를 이용하여 비교하는 테크닉
$\frac{A}{B}$ 〉? $\frac{C}{D}$ → $\frac{A-C}{B-D}$ 〉? $\frac{C}{D}$

③ 뺄셈 테크닉:
분모와 분자의 차이값을 이용하여 비교하는 테크닉
$\frac{A}{B}$ 〉? $\frac{C}{D}$ → $\frac{A}{B-nA}$ 〉? $\frac{C}{D-nC}$

Q 비교테크닉은 언제 사용되나요?

비교 테크닉은 이름처럼 '비교'에 사용된다.
따라서, 모든 비교 테크닉은 아래의 3개의 유형에 적용이 가능하다.

1) 다수의 분수의 대소를 비교하는 형태 → 영업이익률이 가장 큰 해는 09년이다.
2) 분수와 고정값을 비교하는 형태 → 12년 영업이익률은 35% 이상이다.
3) 2개의 분수의 대소를 비교하는 형태 → 영업이익률은 10년이 11년보다 크다.

※ 분수와 고정값을 비교하는 형태는 플마찢기를 통해 쉽게 비교가 가능하다.

추가적으로 배수테크닉은 아래의 유형을 풀기에 적합하다.

4) 2개의 분수의 배수를 구하는 형태 → 영업이익률은 09년이 08년의 2배 이상이다.

단, 비교 테크닉이 사용할 수 없는 유형이 있기에, 분수 값을 읽는 것을 소홀히해서는 안된다.

5) 2개의 분수의 차이값을 구하는 형태 → 12년 영업이익률은 08년 대비 5%p 이상 증가했다.

예제

다음 〈표〉는 2008~2012년 '갑'사의 매출액과 영업이익에 대한 자료이다. 이에 대한 〈설명〉의 정오는?

〈표〉 2008~2012년 '갑'사의 매출액과 영업이익

항목 \ 연도	08	09	10	11	12
매출액	418	634	800	805	964
영업이익	131	243	300	371	318

※ 영업이익률(%) = $\frac{\text{영업이익}}{\text{매출액}} \times 100$

설명

1. 영업이익률이 가장 큰 해는 11년이다. (O, X)
2. 매년 영업이익률은 35% 이상이다. (O, X)
3. 10년 영업이익률은 08년 대비 5%p 이상 증가했다. (O, X)

자료

설명

▸ 목적 파트는?

▸ 정보 파트는?

▸ 정오 파트는?

관점 적용하기

1. (O) 영업이익률 = $\frac{\text{영업이익}}{\text{매출액}}$

11년 = $\frac{371}{805}$ ≒ 40%↑ 다른 연도중에 40% 이상인 연도가 있는가?

40%를 기준으로 플마찢기로 생각해보면 40%를 넘는 연도가 없다.

따라서, 11년이 가장 높다.

2. (X) 영업이익률 = $\frac{\text{영업이익}}{\text{매출액}}$

반례를 찾아야하므로, 가장 작을 것 같은 연도를 찾고, 그 연도가 35%보다 큰지 확인하자.

가장 작을 것 같은 연도 = 08년과 12년

08년을 35% 기준비교하면, 35% = $\frac{140}{400}$ 이므로, 08년은 35%보다 작다.

3. (O) 영업이익률 = $\frac{\text{영업이익}}{\text{매출액}}$

08년의 영업이익률의 값을 정확하게 읽는 것은 어렵지만,

10년의 영업이익률은 정확하게 $\frac{3}{8}$이므로, 37.5%이다.

따라서, 08년 영업이익률이 32.5%보다 작다면 5%p 이상 차이가 난다.

08년 영업이익률 = $\frac{131}{418} = \frac{130+1}{400+18}$이므로, 32.5%보다 작다.

따라서, 5%p 이상 차이가 난다.

답 (O, X, O)

적용문제-01 (5급 17-15)

다음 〈표〉는 '갑'국의 4대 범죄 발생건수 및 검거건수에 대한 자료이다. 이에 대한 〈설명〉의 정오는?

〈표〉 2013년 4대 범죄 유형별 발생건수 및 검거건수

(단위: 건)

구분 / 범죄 유형	발생건수	검거건수
강도	5,753	5,481
살인	132	122
절도	14,778	12,525
방화	1,647	1,646
계	22,310	19,774

설명

1. 2013년 발생건수 대비 검거건수 비율이 가장 낮은 범죄 유형은 절도이다. (O, X)

✔ 자료

✔ 설명

▸ 목적 파트는?

▸ 정보 파트는?

▸ 정오 파트는? (사용한 테크닉은?)

간단 퀴즈

Q $\frac{A}{B}$가 가장 크다면, $\frac{B}{A}$의 크기는 어떨까?

A 가장 작다.

관점 적용하기

1. (O) 발생건수 대비 검거건수 = $\frac{검거}{발생}$

절도: $\frac{125}{147}$ → 여집합적 사고를 생각하면, 100%에서 $\frac{22}{147}$가 빠졌으므로, 대략 85% 가량이다.

나머지 유형도 여집합적 사고로 생각해보면, 모드 10%보다 적게 빠졌으므로, 가장 작은 것은 절도이다.

답 (O)

적용문제-02 (5급 18-25)

다음 〈표〉는 2015 ~ 2017년 A 대학 재학생의 교육에 관한 영역별 만족도와 중요도 점수이다. 이에 대한 〈설명〉의 정오는?

〈표 1〉 2015 ~ 2017년 영역별 만족도 점수

(단위: 점)

영역 \ 연도	2015	2016	2017
교과	3.60	3.41	3.45
비교과	3.73	3.50	3.56
교수활동	3.72	3.52	3.57
학생복지	3.39	3.27	3.31
교육환경 및 시설	3.66	3.48	3.56
교육지원	3.57	3.39	3.41

〈표 2〉 2015 ~ 2017년 영역별 중요도 점수

(단위: 점)

영역 \ 연도	2015	2016	2017
교과	3.74	3.54	3.57
비교과	3.77	3.61	3.64
교수활동	3.89	3.82	3.81
학생복지	3.88	3.73	3.77
교육환경 및 시설	3.84	3.69	3.73
교육지원	3.78	3.63	3.66

※ 해당영역별 요구충족도(%) = $\frac{\text{해당영역 만족도 점수}}{\text{해당영역 중요도 점수}} \times 100$

설명

1. 2017년 요구충족도가 가장 높은 영역은 교과 영역이다. (O, X)

✓ 자료

✓ 설명

▸ 목적 파트는?

▸ 정보 파트는?

▸ 정오 파트는?

관점 적용하기

1. (X) 요구충족도 = $\frac{\text{만족도}}{\text{중요도}}$

교과: $\frac{345}{357}$ → 여집합적 사고를 생각하면, 100%에서 $\frac{12}{357}$가 빠졌으므로, 대략 95%가량이다.

비교과: $\frac{356}{364}$ → 여집합적 사고를 생각하면, 100%에서 $\frac{8}{364}$가 빠졌으므로, 대략 95%가량이다.

비교과가 교과보다 더 작은 값이 빠져나갔으므로, 비교과가 더 크다.

따라서, 교과가 가장 크지 않다.

답 (X)

적용문제-03 (5급 19-07)

다음 〈표〉는 '갑'국 A～J 지역의 대형 종합소매업 현황에 대한 자료이다. 이에 대한 〈설명〉의 정오는?

〈표〉 지역별 대형 종합소매업 현황

구분 지역	사업체 수 (개)	종사자 수 (명)	매출액 (백만 원)	건물 연면적 (㎡)
A	47	6,731	4,878,427	1,683,092
B	33	4,173	2,808,881	1,070,431
C	35	4,430	3,141,552	1,772,698
D	18	2,247	1,380,511	677,288
E	22	3,152	1,804,262	765,096
F	19	2,414	1,473,698	633,497
G	147	18,287	11,625,278	5,032,741
H	17	1,519	861,094	364,296
I	19	2,086	1,305,468	535,880
J	16	1,565	879,172	326,373
전체	373	46,604	30,158,343	12,861,392

설명

1. 사업체당 매출액은 G 지역이 가장 크다. (O, X)

2. I지역의 종사자당 매출액은 E지역의 종사자당 매출액보다 크다. (O, X)

✓ 자료

✓ 설명

▸ 목적 파트는?

▸ 정보 파트는?

▸ 정오 파트는?

관점 적용하기

1. (X) 사업체당 매출액 = $\frac{매출액}{사업체}$ (매출액의 숫자가 너무 크므로, 뒤에서 5자리의 숫자를 지우자.)

   G지역: $\frac{116}{147}$ → 여집합적 사고를 생각하면, 100%에서 $\frac{31}{147}$가 빠졌으므로, 80%↓이다.

   A지역: $\frac{48}{47}$ = 1↑ → G 지역이 가장 크지 않다.

2. (O) 종사자당 매출액 = $\frac{매출액}{종사자}$ (매출액의 숫자가 너무 크므로, 뒤에서 3자리의 숫자를 지우자.)

   I지역: $\frac{1305}{2086}$ → $\frac{1200+105}{2000+86}$ 60%보다 크다. E지역: $\frac{1804}{3152}$ → $\frac{1800+4}{3000+152}$ 60%보다 작다.

   따라서, I지역이 E지역보다 크다.

   (※ 기준을 만들 때는 하나의 분수만 보는 것이 아닌 두 개의 분수를 모두 보고 생각해야 한다.
   위 문제의 경우, $\frac{1800}{3000}$=60%과 $\frac{1300}{2000}$=65%라는 사실을 이용하여 숫자를 찢은 것이다.)

답 (X, O)

적용문제-04 (5급 18-08)

다음 〈표〉는 '갑'시 자격시험 접수, 응시 및 합격자 현황이다. 이에 대한 〈설명〉의 정오는?

〈표〉 '갑'시 자격시험 접수, 응시 및 합격자 현황

(단위: 명)

구분	종목	접수	응시	합격
산업기사	치공구설계	28	22	14
	컴퓨터응용가공	48	42	14
	기계설계	86	76	31
	용접	24	11	2
	전체	186	151	61
기능사	기계가공조립	17	17	17
	컴퓨터응용선반	41	34	29
	웹디자인	9	8	6
	귀금속가공	22	22	16
	컴퓨터응용밀링	17	15	12
	전산응용기계제도	188	156	66
	전체	294	252	146

※ 1) 응시율(%) = $\frac{\text{응시자수}}{\text{접수자수}} \times 100$

2) 합격률(%) = $\frac{\text{합격자수}}{\text{응시자수}} \times 100$

설명

1. 산업기사 전체 합격률은 기능사 전체 합격률보다 높다. (O, X)

2 .산업기사 전체 응시율은 기능사 전체 응시율보다 낮다. (O, X)

자료

설명

▸ 목적 파트는?

▸ 정보 파트는?

▸ 정오 파트는?

관점 적용하기

1. (X) 합격률 = $\frac{\text{합격}}{\text{응시}}$

산업기사: $\frac{61}{151}$ → 50%보다 작다. 기능사: $\frac{146}{252}$ → 50%보다 크다.

산업기사가 기능사보다 작다.

2. (O) 응시율 = $\frac{\text{응시}}{\text{접수}}$

산업기사: $\frac{151}{186}$ → $\frac{5}{6}$보다 작다. 기능사: $\frac{252}{294}$ → $\frac{5}{6}$보다 크다.

(※ 잘 보이지 않는다면, 여집합적 사고를 이용하자.)

산업기사가 기능사보다 작다.

(※ 기준을 만들 때는 하나의 분수만 보는 것이 아닌 두 개의 분수를 모두 보고 생각해야 한다.

위 문제의 경우, $\frac{150}{180}=\frac{5}{6}$이라는 사실을 이용하여 숫자를 쪼개 본 것이다.)

답 (X, O)

적용문제-05 (민 15-20)

다음 〈표〉는 2014년 '갑'국 지방법원(A ~ E)의 배심원 출석 현황에 대한 자료이다. 이에 대한 〈설명〉의 정오는?

〈표〉 2014년 '갑'국 지방법원(A ~ E)의 배심원 출석 현황

(단위: 명)

구분 / 지방법원	소환인원	송달불능자	출석취소통지자	출석의무자	
					출석자
A	1,880	533	573	(　)	411
B	1,740	495	508	(　)	453
C	716	160	213	343	189
D	191	38	65	88	57
E	420	126	120	174	115

※ 1) 출석의무자 수 = 소환인원 - 송달불능자 수 - 출석취소통지자 수

2) 출석률(%) = $\frac{\text{출석자 수}}{\text{소환인원}} \times 100$

3) 실질출석률(%) = $\frac{\text{출석자 수}}{\text{출석의무자 수}} \times 100$

〈설명〉

1. 실질출석률은 E지방법원이 C지방법원보다 낮다. (O, X)

✔ 자료

✔ 설명

▸ 목적 파트는?

▸ 정보 파트는?

▸ 정오 파트는?

관점 적용하기

1. (X) 실질출석률 = $\frac{\text{출석자}}{\text{의무자}}$

E지방: $\frac{115}{174}$ → 60%보다 크다. C지역: $\frac{189}{343}$ → 60%보다 작다.

E지방이 C지방보다 크다.

(※ 기준을 만들 때는 하나의 분수만 보는 것이 아닌 두 개의 분수를 모두 보고 생각해야 한다.

위 문제의 경우, $\frac{180}{300}$=60%라는 사실을 이용하여 숫자를 쪼개 본 것이다.)

답 (X)

적용문제-06 (민 11-22)

다음 〈표〉는 어느 국가의 지역별 영유아 인구수, 보육시설 정원 및 현원에 관한 자료이다. 이에 대한 〈설명〉의 정오는?

〈표〉 지역별 영유아 인구수, 보육시설 정원 및 현원

(단위: 천명)

구분 지역	영유아 인구수	보육시설 정원	보육시설 현원
A	512	231	196
B	152	71	59
C	86	( )	35
D	66	28	24
E	726	375	283
F	77	49	38
G	118	67	52
H	96	66	51
I	188	109	84
J	35	28	25

※ 1) 보육시설 공급률(%) = $\frac{\text{보육시설 정원}}{\text{영유아 인구수}} \times 100$

2) 보육시설 이용률(%) = $\frac{\text{보육시설 현원}}{\text{영유아 인구수}} \times 100$

3) 보육시설 정원충족률(%) = $\frac{\text{보육시설 현원}}{\text{보육시설 정원}} \times 100$

설명

1. 영유아 인구수가 가장 많은 지역과 가장 적은 지역 간 보육시설 이용률의 차이는 40%p 이상이다.

(O, X)

자료

설명

▸ 목적 파트는?

▸ 정보 파트는?

▸ 정오 파트는?

관점 적용하기

1. (X) 영유아 인구수, 보육시설 이용률 = $\frac{\text{현원}}{\text{인구}}$

영유아 인구수가 가장 많은 지역 = E, 가장 적은지역 = J

E지역: $\frac{283}{726}$, J지역: $\frac{25}{35}$ → E지역의 분수는 읽기 어렵지만, J지역은 $\frac{5}{7}$ = 71.4%이다.

40%p 이상 차이나려면, E지역이 적어도 31.4%보다는 작아야 한다.

35%가 $\frac{280}{800}$이므로, $\frac{283}{726}$는 아무리 작아도 35% 이상이다.

따라서, E지역과 J지역은 40%p가 차이날 수 없다.

답 (X)

3 분수 비교 - 01. 배수 테크닉

Q 배수 테크닉은 언제 사용하나요?

분수의 배수 테크닉은 분수 비교테크닉 중 하나이므로
당연하게, 분수 비교처럼 아래와 같은 자료과 설명의 형태를 지닌 경우에 사용될 수 있다.

〈표〉 2008~2012년 '갑'사의 매출액과 영업이익

항목 \ 연도	08	09	10	11	12
매출액	418	634	800	805	964
영업이익	131	243	300	398	318

※ 영업이익률(%) = $\frac{\text{영업이익}}{\text{매출액}} \times 100$

설명
1. 영업이익률은 08년이 12년보다 크다. (O, X)
2. 영업이익률은 11년이 08년의 1.5배 이상이다. (O, X)

분수 비교와 동일하게 설명의 목적이 항목들의 분수로 구성된다.
추가적으로 분수들간의 배수 관계를 구할 때 유용하다.

Q 배수 테크닉에 대해 알려주세요.

배수 테크닉의 정의

1) $\frac{A}{B}$ 〉? $\frac{C}{D}$ → $\frac{D}{B}$ 〉? $\frac{C}{A}$	2) $\frac{A}{B}$ VS $\frac{C}{D}$ → $\frac{C/A}{D/B}$ = n

분수 구성하는 숫자를 이항하여 숫자 간의 배수 관계를 통해하여 분수를 비교 할 수 있다.

예를 들어 $\frac{277}{183}$ VS $\frac{553}{368}$을 비교한다면,

$\frac{277}{183}$ = 1.5↑이고, $\frac{553}{368}$도 1.5↑이므로 어림셈으로 비교하기가 쉽지 않다.

허나, 277과 368을 이항하면, $\frac{368}{183}$과 $\frac{553}{277}$으로 볼 수 있게 된다.

$\frac{368}{183}$는 2보다 크고, $\frac{553}{277}$는 2보다 작으므로, $\frac{277}{183}$가 $\frac{553}{368}$보다 크다고 판별할 수 있다.

또한, 이항할 때 하나의 항으로 모두 이항을 한다면, 두 분수간의 배수도 파악할 수 있다.

예를 들어 $\frac{40}{120}$ → $\frac{48}{60}$이라는 분수간의 배수 관계를 파악한다면,

40과 60을 이항하면, $\frac{48/40}{60/120}$으로 볼 수 있게 된다.

$\frac{48}{40}$은 1.2이고, $\frac{60}{120}$은 0.5이므로, $\frac{48/40}{60/120}$ = $\frac{1.2}{0.5}$이므로 40×150 → 60×300는 2.4배 관계이다.

Q 배수테크닉에 대한 예시를 조금 더 보여주세요

비교를 위한 배수 테크닉의 예시

$\frac{13}{38}$과 $\frac{24}{77}$, 77과 13을 이항하자. 이항을 하면 $\frac{77}{38}$과 $\frac{24}{13}$으로 볼 수 있게 된다.

$\frac{77}{38}$ = 2↑, $\frac{24}{13}$ = 2↓이므로, $\frac{13}{38}$이 $\frac{24}{77}$보다 크다고 판별할 수 있다.

이항을 진짜로 하면서 풀기에는 우리에게는 시간이 부족하다.

따라서 빠르게 사고하기 위해 다음과 같이 분자의 배수와 분모의 배수로 접근하자.

분자: 13에서 24로 → 2배 ↓, 분모: 38에서 77으로 → 2배↑,

결론적으로, $\frac{1}{1}$과 $\frac{2\downarrow}{2\uparrow}$를 비교하는 것이므로, $\frac{13}{38}$이 더 크다.

배수관계를 파악하기 위한 배수 테크닉의 예시

$\frac{252}{302}$ → $\frac{506}{203}$ 몇 배인가?

분자와 분모를 이항하자. $\frac{506/252}{203/302}$로 볼 수 있게 된다.

506/252 = 2↑이고, 203/302 = 2/3↑이므로, $\frac{2\uparrow}{2/3\uparrow}$ = 3↑이다.

따라서, $\frac{252}{302}$ → $\frac{506}{203}$는 3배 이상이라고 판별할 수 있다.

이번에는 $\frac{482}{513}$ → $\frac{608}{556}$ 몇 배인가?

분자와 분모를 이항하자. $\frac{608/482}{556/513}$로 볼 수 있게 된다.

608/482 = 1.25↑이고, 556/513 = 1.1↓이므로, $\frac{1.25\uparrow}{1.1\downarrow}$이다.

따라서, $\frac{482}{513}$ → $\frac{608}{556}$는 $\frac{1.25\uparrow}{1.1\downarrow}$이라고 판별 할 수 있다.

하지만, $\frac{1.25\uparrow}{1.1\downarrow}$의 값을 정확하게 읽어 내는 것은 쉽지 않았을 것이다.

그렇기에, 고정값을 항상 생각해야 한다.

1) 고정값이 있다면 → 주어진 분수를 고정값을 기준하여 플마찢기로 본다.

예를들어 고정값이 1.1이라면, $\frac{1.1+0.15\uparrow}{1.0+0.1\downarrow}$이므로, 1.1배 이상이다.

2) 고정값이 없다면 → 어림셈으로 접근으로 접근해야 한다.

※ 분수의 배수테크닉의 어림셈 $\frac{1+x}{1+y} \fallingdotseq 1+x-y$ (x와 y가 10% 이하인 경우)

즉, 1+0.25-0.1이므로, 대략 15% 언저리가 아닐까? 라고 생각할 수 있다.

연습문제

■ 문제지

	좌항		우항		좌항		우항
01)	$\frac{6430}{2438}$	○	$\frac{9677}{3645}$	11)	$\frac{2512}{7538}$	○	$\frac{1662}{5063}$
02)	$\frac{5423}{8412}$	○	$\frac{2684}{4248}$	12)	$\frac{7235}{4859}$	○	$\frac{9080}{6049}$
03)	$\frac{6605}{7232}$	○	$\frac{1092}{1215}$	13)	$\frac{4054}{5223}$	○	$\frac{4480}{6006}$
04)	$\frac{8142}{5133}$	○	$\frac{2670}{1740}$	14)	$\frac{5133}{6888}$	○	$\frac{4183}{5407}$
05)	$\frac{5179}{2438}$	○	$\frac{3464}{1620}$	15)	$\frac{3325}{9632}$	○	$\frac{2754}{8075}$
06)	$\frac{4823}{2813}$	○	$\frac{6053}{3502}$	16)	$\frac{7281}{4823}$	○	$\frac{4820}{3260}$
07)	$\frac{2446}{1208}$	○	$\frac{3954}{2074}$	17)	$\frac{6822}{7607}$	○	$\frac{5069}{5758}$
08)	$\frac{2124}{2729}$	○	$\frac{1405}{1833}$	18)	$\frac{9646}{6623}$	○	$\frac{6479}{4382}$
09)	$\frac{8423}{4925}$	○	$\frac{5974}{3542}$	19)	$\frac{6435}{1771}$	○	$\frac{4858}{1319}$
10)	$\frac{7077}{1465}$	○	$\frac{3083}{618}$	20)	$\frac{6032}{3234}$	○	$\frac{5459}{2894}$

■ 답안지

	좌항		우항		좌항		우항
01)	2.637	〈	2.655	11)	0.333	〉	0.328
02)	0.645	〉	0.632	12)	1.489	〈	1.501
03)	0.913	〉	0.898	13)	0.776	〉	0.746
04)	1.586	〉	1.534	14)	0.745	〈	0.774
05)	2.124	〈	2.138	15)	0.345	〉	0.341
06)	1.715	〈	1.728	16)	1.510	〉	1.478
07)	2.025	〉	1.907	17)	0.897	〉	0.880
08)	0.778	〉	0.767	18)	1.456	〈	1.478
09)	1.710	〉	1.686	19)	3.634	〈	3.682
10)	4.831	〈	4.991	20)	1.865	〈	1.886

연습문제 [두 곱셈의 대소를 비교하라.]

■ 문제지

번호	좌항		우항	번호	좌항		우항
01)	$\frac{8157}{3045}$	○	$\frac{8442}{3243}$	11)	$\frac{7037}{9862}$	○	$\frac{9043}{12969}$
02)	$\frac{8927}{2547}$	○	$\frac{9329}{2687}$	12)	$\frac{1361}{4563}$	○	$\frac{1654}{5407}$
03)	$\frac{9065}{5442}$	○	$\frac{9654}{5632}$	13)	$\frac{7546}{6569}$	○	$\frac{9319}{7653}$
04)	$\frac{9503}{3300}$	○	$\frac{10216}{3383}$	14)	$\frac{4259}{6830}$	○	$\frac{4493}{7137}$
05)	$\frac{9353}{7505}$	○	$\frac{12019}{9869}$	15)	$\frac{4290}{1855}$	○	$\frac{5255}{2180}$
06)	$\frac{7782}{6399}$	○	$\frac{9222}{7775}$	16)	$\frac{2428}{9626}$	○	$\frac{3096}{12754}$
07)	$\frac{6348}{3553}$	○	$\frac{6951}{3926}$	17)	$\frac{3278}{9588}$	○	$\frac{3557}{9732}$
08)	$\frac{4589}{3408}$	○	$\frac{5897}{4482}$	18)	$\frac{2132}{1752}$	○	$\frac{2782}{2269}$
09)	$\frac{2467}{6094}$	○	$\frac{2800}{6490}$	19)	$\frac{5539}{8151}$	○	$\frac{7062}{10800}$
10)	$\frac{2075}{2634}$	○	$\frac{2500}{3148}$	20)	$\frac{4142}{5372}$	○	$\frac{4825}{6097}$

■ 답안지

	좌항		우항		좌항		우항
01)	2.679	〉	2.603	11)	0.714	〉	0.697
02)	3.505	〉	3.472	12)	0.298	〈	0.306
03)	1.666	〈	1.714	13)	1.149	〈	1.218
04)	2.880	〈	3.020	14)	0.624	〈	0.630
05)	1.246	〉	1.218	15)	2.313	〈	2.411
06)	1.216	〉	1.186	16)	0.252	〉	0.243
07)	1.787	〉	1.770	17)	0.342	〈	0.365
08)	1.347	〉	1.316	18)	1.217	〈	1.226
09)	0.405	〈	0.431	19)	0.680	〉	0.654
10)	0.788	〈	0.794	20)	0.771	〈	0.791

예제

다음 〈표〉는 2008~2012년 '갑'사의 매출액과 영업이익에 대한 자료이다. 이에 대한 〈설명〉의 정오는?

〈표〉 2008~2012년 '갑'사의 매출액과 영업이익

항목 \ 연도	08	09	10	11	12
매출액	418	634	800	805	964
영업이익	131	243	300	398	318

※ 영업이익률(%) = $\frac{\text{영업이익}}{\text{매출액}} \times 100$

설명

1. 영업이익률은 08년이 12년보다 크다. (O, X)
2. 영업이익률은 11년이 08년의 1.5배 이상이다. (O, X)

✓ 자료

✓ 설명

▸ 목적 파트는?

▸ 정보 파트는?

▸ 정오 파트는? (사용한 테크닉은?)

관점 적용하기

1. (X) 영업이익률 = $\frac{\text{영업이익}}{\text{매출액}}$

08년 = $\frac{131}{418}$ 12년 = $\frac{318}{964}$

	08년	12년	
분자(영업이익)	131	318	→ 10년이 08년의 2.4배↑
분모(매출액)	418	964	→ 10년이 08년의 2.4배↓

※ 배수가 잘 보이지 않는다면, 다른 테크닉을 이용하자.

08년: $\frac{1}{1}$ 12년: $\frac{2.4\uparrow}{2.4\downarrow}$ 이므로 12년이 08년보다 크다.

2. (O) 영업이익률 = $\frac{\text{영업이익}}{\text{매출액}}$

08년 = $\frac{131}{418}$ 11년 = $\frac{398}{805}$

	08년	12년	
분자(영업이익)	131	398	→ 10년이 08년의 3배↑
분모(매출액)	418	805	→ 10년이 08년의 2배↓

※ 배수가 잘 보이지 않는다면, 다른 테크닉을 이용하자.

08년 → 12년: $\frac{3\uparrow}{2\downarrow}$ 이므로, 1.5배 이상이다.

답 (X, O)

예제

다음 〈표〉는 지역별 자동차 등록건수와 사고건수 현황을 나타낸 것이다. 이에 대한 〈설명〉의 정오는?

〈표〉 지역별 자동차 등록건수와 사고건수

(단위: 천대, 천건)

구분 \ 지역	A지역	B지역	C지역	D지역	E지역
등록건수	220,682	183,302	69,383	123,733	94,281
사고건수	7,887	6,646	1,851	3,365	1,648

※ 사고율(%) = $\frac{\text{사고건수}}{\text{등록건수}}$ × 100

설명

1. 사고율이 가장 높은 지역은 B지역이다. (O, X)

2. 사고율은 D지역이 E지역의 1.5배 이상이다. (O, X)

✓ 자료

✓ 설명

▸ 목적 파트는?

▸ 정보 파트는?

▸ 정오 파트는? (사용한 테크닉은?)

관점 적용하기

1. (O) 사고율 = $\frac{\text{사고건수}}{\text{등록건수}}$ (※ 분수값을 읽기 쉽도록 등록건수는 2자리, 사고건수는 1자리를 지우자)

B지역: $\frac{664}{1833}$ → 30~40%, 비교가 필요한 지역을 찾자.

A지역을 제외한 나머지는 모두 30% 이하이다. 따라서 A지역과 B지역만 비교하자.

	B지역	A지역	
분자(사고건수)	664	788	→ A지역이 B지역의 1.2배↓
분모(등록건수)	1833	2206	→ A지역이 B지역의 1.2배↑

※ 배수가 잘 보이지 않는다면, 다른 테크닉을 이용하자.

B지역: $\frac{1}{1}$ A지역: $\frac{1.2\downarrow}{1.2\uparrow}$ 이므로 B지역이 A지역보다 크다. 따라서 B지역이 가장 크다.

2. (O) 사고율 = $\frac{\text{사고건수}}{\text{등록건수}}$ (※ 분수값을 읽기 쉽도록 등록건수는 2자리, 사고건수는 1자리를 지우자)

D지역 = $\frac{326}{1237}$ E지역 = $\frac{164}{942}$

	D지역	E지역	
분자(사고건수)	336	164	→ D지역이 E지역의 2배
분모(등록건수)	1237	942	→ D지역이 E지역의 1.33배↓

※ 배수가 잘 보이지 않는다면, 다른 테크닉을 이용하자.

E지역: $\frac{1}{1}$ D지역: $\frac{2\uparrow}{4/3\downarrow}$=1.5↑ 이므로 D지역은 E지역의 1.5배 이상이다.

답 (O, O)

적용문제-01 (5급 16-01)

다음 〈표〉와 〈그림〉은 조선시대 A군의 조사시기별 가구수 및 인구수와 가구 구성비에 대한 자료이다. 이에 대한 〈설명〉의 정오는?

〈표〉 A군의 조사시기별 가구수 및 인구수

(단위: 호, 명)

조사시기	가구수	인구수
1729년	1,480	11,790
1765년	7,210	57,330
1804년	8,670	68,930
1867년	27,360	144,140

설명

1. 1804년 대비 1867년의 가구당 인구수는 증가하였다.

(O, X)

✓ 자료

✓ 설명

▸ 목적 파트는?

▸ 정보 파트는?

▸ 정오 파트는? (사용한 테크닉은?)

간단 퀴즈

Q 가구당 인구수가 크다는 것은 어떠한 의미일까?

A 대가족이다.

관점 적용하기

1. (X) 가구당 인구수 = $\frac{\text{인구}}{\text{가구}}$

67년 = $\frac{1,441}{2,736}$ 04년 = $\frac{689}{867}$ (※ 여집합적 사고만 이용해도 바로 비교가 가능함)

	04년	67년	
분자(인구)	689	1441	→ 67년이 04년의 3배↓
분모(가구)	867	2736	→ 67년이 04년의 3배↑

※ 배수가 잘 보이지 않는다면, 다른 테크닉을 이용하자.

04년: $\frac{1}{1}$ 67년: $\frac{3\downarrow}{3\uparrow}$ 이므로 04년이 67년보다 크다.

답 (X)

적용문제-02 (5급 19-11)

다음 〈표〉는 2014 ~ 2018년 '갑'국의 범죄 피의자 처리 현황에 대한 자료이다. 이에 대한 〈설명〉의 정오는?

〈표〉 범죄 피의자 처리 현황

(단위: 명)

구분 / 연도	처리	처리 결과		기소 유형	
		기소	불기소	정식재판 기소	약식재판 기소
2014	33,654	14,205	( )	( )	12,239
2015	26,397	10,962	15,435	1,972	( )
2016	28,593	12,287	( )	( )	10,050
2017	31,096	12,057	19,039	2,619	( )
2018	38,152	( )	( )	3,513	10,750

※ 1) 모든 범죄 피의자는 당해년도에 처리됨.

2) 범죄 피의자에 대한 처리 결과는 기소와 불기소로만 구분되며, 기소 유형은 정식재판기소와 약식재판기소로만 구분됨.

3) 기소율(%) = $\frac{\text{기소인원}}{\text{처리인원}} \times 100$

설명

1. 2018년 기소 인원과 기소율은 2014년보다 모두 증가하였다. (O, X)

자료

설명

▸ 목적 파트는?

▸ 정보 파트는?

▸ 정오 파트는? (사용한 테크닉은?)

관점 적용하기

1. (X) 기소인원 = 처리인원 - 불기소, 정식재판 + 약식재판 / 기소율 = $\frac{\text{기소}}{\text{처리}}$

기소인원: 14년 = 142 18년 = (35+107) = 142 (3자리만 확인했을 때는 기소 인원이 증가했는지는 모호하다.)

기소율: 14년 = $\frac{142}{336}$ 18년 = $\frac{142}{381}$

14년 → 18년으로 생각할 때, 분자에는 사실상 변화가 없으나 분모는 1.2배 이하 증가하였다.
따라서 기소율은 18년이 14년보다 작다.

답 (X)

적용문제-03 (5급 21-01)

다음 〈표〉는 지역별 고령인구 및 고령인구 비율에 대한 자료이다. 이에 대한 〈설명〉의 정오는?

〈표〉 지역별 고령인구 및 고령인구 비율 전망

(단위: 천 명, %)

연도 / 구분 / 지역	2025		2035		2045	
	고령인구	고령인구 비율	고령인구	고령인구 비율	고령인구	고령인구 비율
서울	1,862	19.9	2,540	28.4	2,980	35.3
부산	784	24.4	1,004	33.4	1,089	39.7
대구	494	21.1	691	31.2	784	38.4
인천	550	18.4	867	28.4	1,080	36.3
광주	261	18.0	377	27.3	452	35.2
대전	270	18.4	392	27.7	471	35.0
울산	193	17.3	302	28.2	352	35.6
세종	49	11.6	97	18.3	153	26.0
경기	2,379	17.0	3,792	26.2	4,783	33.8
강원	387	25.6	546	35.9	649	43.6
충북	357	21.6	529	31.4	646	39.1
충남	488	21.5	714	30.4	897	38.4
전북	441	25.2	587	34.7	683	42.5
전남	475	27.4	630	37.1	740	45.3
경북	673	25.7	922	36.1	1,064	43.9
경남	716	21.4	1,039	31.7	1,230	39.8
제주	132	18.5	208	26.9	275	34.9
전국	10,511	20.3	15,237	29.5	18,328	37.0

※ 고령인구 비율(%) = $\frac{\text{고령인구}}{\text{인구}} \times 100$

설명

1. 2045년 충북 인구는 전남 인구보다 많다.

(O, X)

✔ 자료

✔ 설명

▸ 목적 파트는?

▸ 정보 파트는?

▸ 정오 파트는? (사용한 테크닉은?)

관점 적용하기

1. (O) 인구 = $\frac{\text{고령인구}}{\text{인구비율}}$

충북 = $\frac{646}{391}$ 전남 = $\frac{740}{453}$

	충북	전남	
분자(고령인구)	646	740	→ 전남이 충북의 1.15배↓
분모(인구비율)	391	453	→ 전남이 충북의 1.15배↑

※ 배수가 잘 보이지 않는다면, 다른 테크닉을 이용하자.

충북: $\frac{1}{1}$ 전남: $\frac{1.15\downarrow}{1.15\uparrow}$ 이므로 충북이 전남보다 크다.

답 (O)

적용문제-04 (5급 21-03)

다음 〈표〉는 2013 ~ 2020년 '갑'국 재정지출에 대한 자료이다. 이에 대한 〈설명〉의 정오는?

〈표〉 전체 재정지출

(단위: 백만 달러, %)

연도 \ 구분	금액	GDP 대비 비율
2013	487,215	34.9
2014	466,487	31.0
2015	504,426	32.4
2016	527,335	32.7
2017	522,381	31.8
2018	545,088	32.0
2019	589,175	32.3
2020	614,130	32.3

설명

1. 2020년 GDP는 2013년 대비 30% 이상 증가하였다. (O, X)

자료

설명

▸ 목적 파트는?

▸ 정보 파트는?

▸ 정오 파트는? (사용한 테크닉은?)

간단 퀴즈

Q 분수의 배수테크닉을 방향설정에 따라 난이도가 변화할까? 둘다 직접하며 느껴보자.

관점 적용하기

1. (O) GDP = $\frac{\text{금액}}{GDP\ \text{대비 비율}}$

20년 = $\frac{614}{323}$ 13년 = $\frac{487}{349}$

	13년	20년	
분자(금액)	487	614	→ 20년이 13년의 1.25배↑
분모(GDP 대비 비율)	349	323	→ 20년이 13년의 0.95배↓

※ 배수가 잘 보이지 않는다면, 다른 테크닉을 이용하자.

13년: $\frac{1}{1}$ 20년: $\frac{1.25\uparrow}{0.95\downarrow} = \frac{1.30-0.05\downarrow}{1.00-0.05\uparrow}$ 이므로,

20년은 13년의 1.3배 이상이다. 따라서, 30% 이상 증가하였다.

또는

	13년	20년	
분자(금액)	487	614	→ 20년이 13년의 1.25배↑
분모(GDP 대비 비율)	349	323	→ 13년이 20년의 1.05배↑

※ 배수가 잘 보이지 않는다면, 다른 테크닉을 이용하자.

13년: $\frac{1}{1.05\uparrow}$ 20년: $\frac{1.25\uparrow}{1}$

$\frac{1}{1.05\uparrow} \rightarrow \frac{1.25\uparrow}{1}$ 이므로 1.25↑×1.05↑는 1.3배 이상이다. 따라서, 30% 이상 증가하였다.

답 (O)

3 분수 비교 - 02. 기울기 테크닉

Q 기울기 테크닉은 언제 사용하나요?

분수의 기울기 테크닉은 분수 비교테크닉 중 하나이므로
당연하게, 분수 비교처럼 아래와 같은 자료과 설명의 형태를 지닌 경우에 사용 될 수 있다.

〈표〉 2008~2012년 '갑'사의 매출액과 영업이익

항목 \ 연도	08	09	10	11	12
매출액	418	634	800	805	964
영업이익	131	243	300	398	318

※ 영업이익률(%) = $\frac{\text{영업이익}}{\text{매출액}}$ × 100

설명

1. 영업이익률은 08년이 12년보다 크다.

(O, X)

분수 비교와 동일하게 설명의 목적이 항목들의 분수로 구성된다.

Q 기울기 테크닉에 대해 알려주세요.

기울기 테크닉의 정의

$\frac{B}{A}$ 〉? $\frac{F}{E}$ → $\frac{B}{A}$ 〉? $\frac{F-B}{E-A}$ → $\frac{B}{A}$ 〉? $\frac{D}{C}$

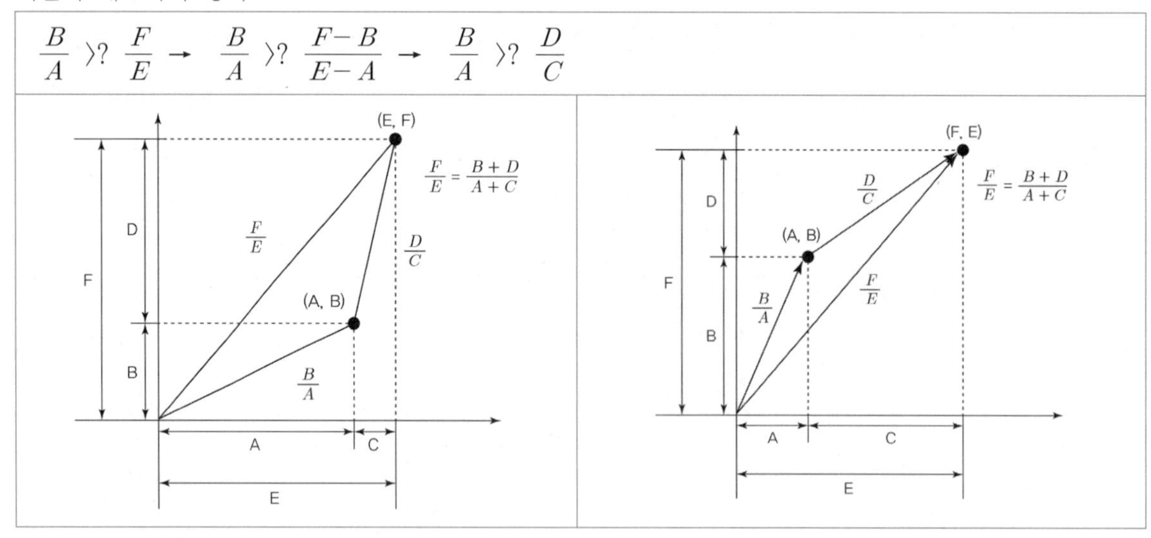

$\frac{B}{A}$와 $\frac{F}{E}$의 기울기를 비교할 때, $\frac{F}{E}$의 기울기는 $\frac{B}{A}$에서 추가로 $\frac{D}{C}$가 연결된 것으로 생각할 수 있다.
따라서, 추가로 연결된 $\frac{D}{C}$의 기울기에 따라 $\frac{B}{A}$와 $\frac{F}{E}$의 대소가 결정된다.

예를 들어 $\frac{2}{3}$와 $\frac{1}{2}$을 비교한다면 $\frac{2}{3}$는 $\frac{1}{2}$에서 가파른 $\frac{1}{1}$가 추가로 연결된 것이므로, $\frac{2}{3}$가 $\frac{1}{2}$보다 가파르다.
$\frac{7}{6}$와 $\frac{4}{3}$을 비교한다면 $\frac{7}{6}$는 $\frac{4}{3}$에서 완만한 $\frac{3}{3}$가 추가로 연결됐으므로 $\frac{7}{6}$가 $\frac{4}{3}$보다 완만하다.

기울기 테크닉에 대한 예시를 조금 더 보여주세요

비교를 위한 배수 테크닉의 예시

$\frac{24}{50}$과 $\frac{13}{38}$, $\frac{24}{50}$는 $\frac{13}{38}$에서 $\frac{11}{12}$이 추가로 연결된 것이다.

$\frac{11}{12}$는 $\frac{13}{38}$보다 가파르므로, $\frac{13}{38}$에서 더 가파른 $\frac{11}{12}$이 추가로 연결된 $\frac{24}{50}$는 $\frac{13}{38}$보다 가파르다.

$\frac{24}{50} > \frac{13}{38}$

$\frac{82}{47}$과 $\frac{89}{53}$, $\frac{89}{53}$는 $\frac{82}{47}$에서 $\frac{7}{6}$이 추가로 연결된 것이다.

$\frac{7}{6}$는 $\frac{82}{47}$보다 완만하므로, $\frac{82}{47}$에서 더 완만한 $\frac{7}{6}$이 추가로 연결된 $\frac{89}{53}$는 $\frac{82}{47}$보다 완만하다.

$\frac{82}{47} > \frac{89}{53}$

$\frac{78}{82}$과 $\frac{109}{112}$, $\frac{109}{112}$는 $\frac{78}{82}$에서 $\frac{31}{30}$이 추가로 연결된 것이다.

$\frac{31}{30}$는 $\frac{78}{82}$보다 가파르므로, $\frac{78}{82}$에서 더 가파른 $\frac{31}{30}$이 추가로 연결된 $\frac{109}{112}$는 $\frac{82}{47}$보다 가파르다.

$\frac{78}{82} < \frac{109}{112}$

> ＊ 노래로 배우는 기울기 테크닉
> 큰놈이 짱이야 큰놈이 짱이야~
> 작은놈과 빼버려 작은놈과 빼버려!
> 남는놈이 대신해 남는놈이 대신해
> 남는 것과 비교해 작은 것과 비교해

연습문제

■ 문제지

번호	좌항		우항	번호	좌항		우항
01)	$\frac{20}{79}$	○	$\frac{26}{86}$	11)	$\frac{27}{17}$	○	$\frac{30}{26}$
02)	$\frac{58}{73}$	○	$\frac{67}{77}$	12)	$\frac{89}{16}$	○	$\frac{98}{24}$
03)	$\frac{31}{61}$	○	$\frac{34}{70}$	13)	$\frac{39}{44}$	○	$\frac{44}{46}$
04)	$\frac{71}{34}$	○	$\frac{73}{43}$	14)	$\frac{94}{99}$	○	$\frac{103}{102}$
05)	$\frac{89}{20}$	○	$\frac{95}{29}$	15)	$\frac{84}{74}$	○	$\frac{92}{83}$
06)	$\frac{89}{70}$	○	$\frac{91}{76}$	16)	$\frac{14}{65}$	○	$\frac{23}{67}$
07)	$\frac{80}{61}$	○	$\frac{83}{66}$	17)	$\frac{56}{20}$	○	$\frac{63}{23}$
08)	$\frac{35}{31}$	○	$\frac{38}{33}$	18)	$\frac{82}{45}$	○	$\frac{84}{53}$
09)	$\frac{67}{49}$	○	$\frac{74}{56}$	19)	$\frac{97}{53}$	○	$\frac{99}{62}$
10)	$\frac{98}{42}$	○	$\frac{100}{49}$	20)	$\frac{51}{64}$	○	$\frac{53}{66}$

■ 답안지

	좌항		우항		좌항		우항
01)	0.253	〈	0.302	11)	1.588	〉	1.154
02)	0.795	〈	0.870	12)	5.563	〉	4.083
03)	0.508	〉	0.486	13)	0.886	〈	0.957
04)	2.088	〉	1.698	14)	0.949	〈	1.010
05)	4.450	〉	3.276	15)	1.135	〉	1.108
06)	1.271	〉	1.197	16)	0.215	〈	0.343
07)	1.311	〉	1.258	17)	2.800	〉	2.739
08)	1.129	〈	1.152	18)	1.822	〉	1.585
09)	1.367	〉	1.321	19)	1.830	〉	1.597
10)	2.333	〉	2.041	20)	0.797	〈	0.803

연습문제

■ 문제지

01)	$\frac{96}{66}$	○	$\frac{100}{70}$	11)	$\frac{69}{24}$	○	$\frac{75}{30}$
02)	$\frac{46}{83}$	○	$\frac{55}{88}$	12)	$\frac{57}{98}$	○	$\frac{62}{104}$
03)	$\frac{67}{55}$	○	$\frac{71}{57}$	13)	$\frac{17}{92}$	○	$\frac{26}{96}$
04)	$\frac{17}{51}$	○	$\frac{24}{59}$	14)	$\frac{28}{99}$	○	$\frac{35}{107}$
05)	$\frac{67}{62}$	○	$\frac{76}{71}$	15)	$\frac{56}{53}$	○	$\frac{63}{55}$
06)	$\frac{95}{82}$	○	$\frac{98}{84}$	16)	$\frac{85}{84}$	○	$\frac{94}{91}$
07)	$\frac{60}{35}$	○	$\frac{67}{38}$	17)	$\frac{48}{70}$	○	$\frac{54}{72}$
08)	$\frac{40}{34}$	○	$\frac{43}{40}$	18)	$\frac{46}{61}$	○	$\frac{50}{63}$
09)	$\frac{49}{65}$	○	$\frac{57}{68}$	19)	$\frac{25}{38}$	○	$\frac{27}{43}$
10)	$\frac{80}{70}$	○	$\frac{87}{77}$	20)	$\frac{47}{85}$	○	$\frac{53}{93}$

■ 답안지

	좌항		우항		좌항		우항
01)	1.455	〉	1.429	11)	2.875	〉	2.500
02)	0.554	〈	0.625	12)	0.582	〈	0.596
03)	1.218	〈	1.246	13)	0.185	〈	0.271
04)	0.333	〈	0.407	14)	0.283	〈	0.327
05)	1.081	〉	1.070	15)	1.057	〈	1.145
06)	1.159	〈	1.167	16)	1.012	〈	1.033
07)	1.714	〈	1.763	17)	0.686	〈	0.750
08)	1.176	〉	1.075	18)	0.754	〈	0.794
09)	0.754	〈	0.838	19)	0.658	〉	0.628
10)	1.143	〉	1.130	20)	0.553	〈	0.570

예제

다음 〈표〉는 2008~2012년 '갑'사의 매출액과 영업이익에 대한 자료이다. 이에 대한 〈설명〉의 정오는?

〈표〉 2008~2012년 '갑'사의 매출액과 영업이익

항목 \ 연도	08	09	10	11	12
매출액	418	634	800	805	964
영업이익	131	243	300	398	318

※ 영업이익률(%) = $\frac{영업이익}{매출액} \times 100$

설명

1. 영업이익률은 08년이 12년보다 크다.

(O, X)

✓ 자료

✓ 설명

▸ 목적 파트는?

▸ 정보 파트는?

▸ 정오 파트는? (사용한 테크닉은?)

관점 적용하기

1. (X) 영업이익률 = $\frac{영업이익}{매출액}$

08년($\frac{131}{418}$) → 12년 ($\frac{318}{964}$): $\frac{318}{964} = \frac{131+187}{418+546}$ $\frac{131}{418}$에서 $\frac{187}{546}$이 추가됐으므로 커졌다.

(※ $\frac{131}{418}$ = 30% 근처, $\frac{187}{546}$ = 35%)

답 (X)

예제

다음 〈표〉는 2014~2016년 '갑'시의 범죄 발생건수와 검거건수에 대한 자료이다. 이에 대한 〈설명〉의 정오는?

〈표〉 연도별 '갑'시의 범죄 발생건수와 검거건수

(단위: 천건)

항목 \ 연도	2014	2015	2016	2017	2018
발생건수	687	701	698	728	714
검거건수	325	339	359	369	371

※ 검거율(%) = $\frac{\text{검거건수}}{\text{발생건수}}$ × 100

설명

1. 2015년 이후 '갑'시의 검거율은 전년 대비 매년 증가하였다.

(O, X)

자료

설명

▸ 목적 파트는?

▸ 정보 파트는?

▸ 정오 파트는? (사용한 테크닉은?)

관점 적용하기

1. (X) 검거율 = $\frac{\text{검거건수}}{\text{발생건수}}$

설명의 반례를 찾자. '매년 증가한다.'의 반례는 감소한다.

→ 논리적 사고에 의해 검거율이 감소하기 위해서는
검거건수(분자)가 감소하거나, 발생건수(분모)가 증가해야 한다.

	14→15	15→16	16→17	17→18
검거건수(분자)	증가	증가	증가	증가
발생건수(분모)	증가	감소	증가	감소
비교 필요 여부	O	X	O	X

비교가 필요한 14→15와 16→17을 비교하자.

14년($\frac{325}{687}$) → 15년($\frac{339}{701}$): $\frac{339}{701}=\frac{325+14}{687+14}$ → $\frac{325}{687}$에서 $\frac{14}{14}$가 추가됐으므로 커졌다.

16년($\frac{359}{698}$) → 17년($\frac{369}{728}$): $\frac{369}{728}=\frac{359+10}{698+30}$ → $\frac{359}{698}$에서 $\frac{10}{30}$이 추가됐으므로 작아졌다.

따라서, 매년 증가하지 않았다.

답 (X)

적용문제-01 (5급 19-13)

다음 〈표〉는 2014 ~ 2018년 '갑'국의 예산 및 세수 실적에 관한 자료이다. 이에 대한 〈설명〉의 정오는?

〈표〉 2018년 '갑'국의 세수항목별 세수 실적

(단위: 십억 원)

구분 세수항목	예산액	징수결정액	수납액	불납결손액
총 세수	205,964	237,000	208,113	2,321
내국세	183,093	213,585	185,240	2,301
교통 · 에너지 · 환경세	13,920	14,110	14,054	10
교육세	5,184	4,922	4,819	3
농어촌 특별세	2,486	2,674	2,600	1
종합부동산세	1,281	1,709	1,400	6

※ 1) 미수납액 = 징수결정액 − 수납액 − 불납결손액

2) 수납비율(%) = $\frac{\text{수납액}}{\text{예산액}} \times 100$

설명

1. 2018년 세수항목 중 수납비율이 가장 높은 항목은 종합부동산세이다. (O, X)

✓ 자료

✓ 설명

▸ 목적 파트는?

▸ 정보 파트는?

▸ 정오 파트는? (사용한 테크닉은?)

관점 적용하기

1. (O) 수납비율 = $\frac{\text{수납액}}{\text{예산액}}$

종합부동산세: $\frac{140}{128}$ ≒ 1.1이다. 종합부동산세와 비교가 필요한 세수항목은 농어촌 특별세: $\frac{260}{248}$ ≒ 1.1

(※ 분수값을 잘 읽을 수 있다면, 종부세가 더 크다는 것을 쉽게 발견할 수 있다.)

종부세($\frac{140}{128}$) → 농어촌 ($\frac{260}{248}$): $\frac{260}{248} = \frac{140+120}{128+120}$ $\frac{140}{128}$에서 $\frac{120}{120}$이 추가 됐으므로 작아졌다.

따라서, 종부세가 농어촌보다 크다. 즉, 종부세보다 큰 세수항목은 없다.

답 (O)

적용문제-02 (5급 17-15)

다음 〈표〉는 '갑'국의 4대 범죄 발생건수 및 검거건수에 대한 자료이다. 이에 대한 〈설명〉의 정오는?

〈표〉 2009 ~ 2013년 4대 범죄 발생건수 및 검거건수

(단위: 건, 천명)

구분 / 연도	발생건수	검거건수	총인구	인구 10만명당 발생 건수
2009	15,693	14,492	49,194	31.9
2010	18,258	16,125	49,346	( )
2011	19,498	16,404	49,740	39.2
2012	19,670	16,630	50,051	39.3
2013	22,310	19,774	50,248	44.4

설명

1. 인구 10만명당 4대 범죄 발생건수는 매년 증가한다.

(O, X)

자료

설명

▸ 목적 파트는?

▸ 정보 파트는?

▸ 정오 파트는? (사용한 테크닉은?)

관점 적용하기

1. (O) 인구 10만명당 발생건수 = $\frac{\text{발생건수}}{\text{인구}/100,000} = \frac{\text{발생건수}}{\text{인구}} \times 100,000$ (※ 10만은 비교에 영향X)

설명의 반례를 찾자. '매년 증가한다.'의 반례는 감소한다. (단, 11~13년은 주어져있으므로 확인하지 않는다.)

→ 논리적 사고에 의해 분수값이 감소하기 위해서는 발생건수(분자)가 감소하거나, 인구(분모)가 증가해야 한다.

	09→10	10→11
발생건수(분자)	증가	증가
인구(분모)	증가	증가
비교 필요 여부	O	O

09년($\frac{156}{491}$) → 10년($\frac{182}{493}$): $\frac{182}{493} = \frac{156+26}{491+2}$ $\frac{156}{491}$에서 $\frac{16}{2}$가 추가됐으므로, 더 커졌다.

10년($\frac{182}{493}$) → 11년($\frac{194}{497}$): $\frac{194}{497} = \frac{182+12}{493+4}$ $\frac{182}{493}$에서 $\frac{12}{4}$가 추가됐으므로, 더 커졌다.

따라서, 매년 증가하였다.

답 (O)

적용문제-03 (5급 19-35)

다음 〈표〉는 2013 ~ 2017년 A ~ E국의 건강보험 진료비에 관한 자료이다. 이에 대한 〈설명〉의 정오는?

〈표 〉 A국의 건강보험 진료비 발생 현황

(단위: 억 원)

구분		2013	2014	2015	2016	2017
의료기관	소계	341,410	360,439	390,807	419,353	448,749
	입원	158,365	160,791	178,911	190,426	207,214
	외래	183,045	199,648	211,896	228,927	241,534
약국	소계	120,969	117,953	118,745	124,897	130,844
	처방	120,892	117,881	118,678	124,831	130,775
	직접조제	77	72	66	66	69
계		462,379	478,392	509,552	544,250	579,593

설명

1. 2014 ~ 2017년 동안 A국의 건강보험 진료비 중 약국의 직접조제 진료비가 차지하는 비중은 전년대비 매년 감소한다.

(O, X)

자료

설명

▸ 목적 파트는?

▸ 정보 파트는?

▸ 정오 파트는? (사용한 테크닉은?)

관점 적용하기

1. (O) 진료비 중 약국 직접조제 = $\frac{\text{약국직접조제}}{\text{진료비}}$

설명의 반례를 찾자. '매년 감소한다.'의 반례는 증가한다.

→ 논리적 사고에 의해 분수값이 증가하기 위해서는 직접조제(분자)가 증가하거나, 진료비(분모)가 감소해야 한다.

	13 → 14	14 → 15	15 → 16	16 → 17
직접조제(분자)	감소	감소	동일	증가
진료비(분모)	증가	증가	증가	증가
비교 필요 여부	X	X	X	O

16년($\frac{66}{544}$) → 10년($\frac{69}{579}$): $\frac{69}{579} = \frac{66+3}{544+35}$ $\frac{66}{544}$에서 $\frac{3}{35}$이 추가 됐으므로, 더 작아졌다.

따라서, 매년 감소하였다.

답 (O)

적용문제-04 (제작문제)

다음 〈표〉는 2008 ~ 2012년 A국의 분야별 공공복지예산액이다. 이에 대한 〈설명〉의 정오는?

〈표〉 2008 ~ 2012년 한국의 분야별 공공복지예산

(단위: 십억원)

연도 \ 구분	분야별 공공복지예산					
	노령	보건	가족	실업	기타	합
2008	1,967	3,621	750	287	1,810	8,444
2009	2,199	4,192	852	414	2,326	9,983
2010	2,441	4,731	823	366	2,062	10,423
2011	2,597	4,968	1,158	359	2,024	11,106
2012	3,004	5,180	1,488	372	2,397	12,481

설명

1. A국의 공공복지예산 중 보건분야 예산이 차지하는 비중은 2011년과 2012년에 전년대비 감소한다.

(O, X)

자료

설명

▸ 목적 파트는?

▸ 정보 파트는?

▸ 정오 파트는? (사용한 테크닉은?)

관점 적용하기

1. (O) 전체에서 보건의 비중 = $\frac{보건}{합}$

설명의 반례를 찾자. '매년 감소한다.'의 반례는 증가한다.

→ 논리적 사고에 의해 분수값이 증가하기 위해서는 보건(분자)이 증가하거나, 합(분모)이 감소해야 한다.

	10 → 11	11 → 12
보건(분자)	증가	증가
합(분모)	증가	증가
비교 필요 여부	O	O

10년($\frac{473}{1042}$) → 11년($\frac{496}{1110}$): $\frac{496}{1110} = \frac{473+23}{1042+58}$ $\frac{473}{1042}$에서 $\frac{23}{58}$이 추가 됐으므로, 더 작아졌다.

11년($\frac{496}{1110}$) → 12년($\frac{518}{1248}$): $\frac{518}{1248} = \frac{496+22}{1110+138}$ $\frac{496}{1110}$에서 $\frac{22}{138}$이 추가 됐으므로, 더 작아졌다.

따라서, 매년 감소하였다.

답 (O)

3 분수 비교 - 03. 뺄셈 테크닉

Q 뺄셈 테크닉에 대해 알려주세요.

분수의 뺄셈 테크닉은 분수 비교테크닉 중 하나이므로
당연하게, 분수 비교처럼 아래와 같은 자료과 설명의 형태를 지닌 경우에 사용될 수 있다.

〈표〉 '갑'국의 연도별 무역규모

항목 \ 연도	2008	2009	2010	2011	2012
무역규모	2,413	2,915	3,076	3,271	3,397
수출	1,862	2,232	2,453	2,653	2,681
수입	551	683	623	618	716

※ 무역규모 = 수출 + 수입

설명

1. 무역규모에서 수출이 차지하는 비중이 가장 큰 해는 2011년이다.

(O, X)

분수 비교와 동일하게 설명의 목적이 항목들의 분수로 구성된다.
특히나, 부분들이 전체를 구성하는 경우에 매우 유용하게 사용된다.

Q 뺄셈 테크닉은 언제 사용하나요?

뺄셈 테크닉의 정의

$$\frac{B}{A} \ 〉? \ \frac{D}{C} \rightarrow \frac{C}{D} \ 〉? \ \frac{A}{B} \rightarrow \frac{C-nD}{D} \ 〉? \ \frac{A-nB}{B} \rightarrow \frac{B}{A-nB} \ 〉? \ \frac{D}{C-nD}$$

뺄셈 테크닉은 결론적으로, 분모에서 분자를 빼내서 비교하는 것이다.
그렇기에, 만약에, 분모에 분자가 포함된 형태라면, 뺄셈 테크닉을 이용하기 더욱 편해진다.

뺄셈 테크닉이 가장 유용하게 사용 될 수 있는 곳은 부분과 전체로 구성된 경우에서 비중을 물어보는 경우이다.

부분과 전체 = $[U_A = A + A^C, \ U_B = B + B^C]$

$\frac{A}{U_A}$와 $\frac{B}{U_B}$를 비교한다면, $\frac{A}{A+A^C}$ 〉? $\frac{B}{B+B^C}$ → $\frac{A}{A^C}$ 〉? $\frac{B}{B^C}$

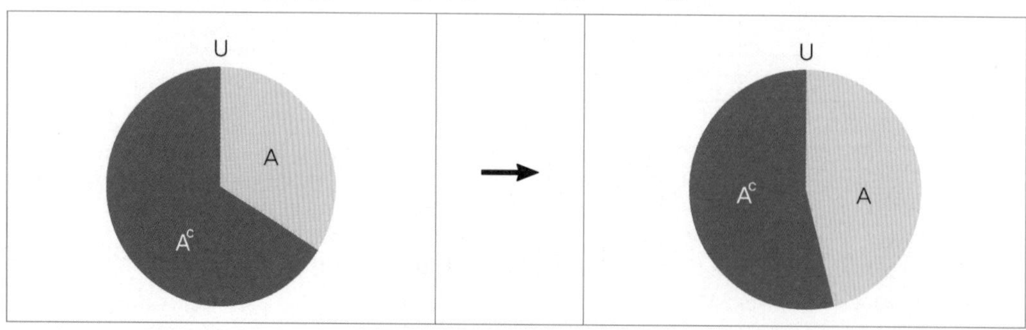

빨셈 테크닉에 대한 예시를 조금 더 보여주세요

비교를 위한 빨셈 테크닉의 예시

$\frac{31}{31+92}$과 $\frac{26}{26+71}$,

빨셈 테크닉을 이용하지 않는다면, $\frac{31}{123}$과 $\frac{26}{97}$을 비교해야 하고, → $\frac{31}{123} < \frac{26}{97}$

빨셈 테크닉을 이용한다면, $\frac{31}{92}$과 $\frac{26}{71}$를 비교하면 된다. → $\frac{31}{92} < \frac{26}{71}$

사람마다, 빨셈 테크닉을 사용하기 전이 더 예뻐 보일수도, 사용한 후가 더 예뻐 보일 수도 있으나, 자신이 볼 수 있는 방법의 양을 늘리는 것은 편한 길을 선택할 수 있는 선택지를 늘리는 것과 같다.

$\frac{99}{99+60}$과 $\frac{70}{70+36}$,

빨셈 테크닉을 이용하지 않는다면, $\frac{99}{159}$과 $\frac{70}{106}$을 비교해야 하고, → $\frac{99}{159} < \frac{70}{106}$

빨셈 테크닉을 이용한다면, $\frac{99}{60}$과 $\frac{70}{36}$를 비교하면 된다. → $\frac{99}{60} < \frac{70}{36}$

이번에는 누구나 빨셈 테크닉을 사용 한 이유의 숫자가 더 쉽게 비교가 가능할 것이다.

마지막으로 고정값이 있는 경우에 빨셈 테크닉을 적용해보자.

$\frac{478}{781}=\frac{478}{478+303}$와 60%$=\frac{60}{60+40}$

빨셈 테크닉을 이용하지 않는다면, $\frac{478}{781}$과 60%를 비교해야 하고, 따라서, $\frac{478}{781}=\frac{420+68}{700+81}$으로 쪼개고

빨셈 테크닉을 이용한다면, $\frac{478}{303}$과 $\frac{60}{40}$을 비교해야 하고, 따라서, $\frac{478}{303}$이 1.5보다 크다. 라고 판별하면 된다.

✻ 노래로 배우는 플마 찢기 부분과 전체~ 부분과 전체~ 전체는 부분과 여집합의 합~ 부분과 여집합~ 부분과 여집합~

연습문제

■ 문제지

번호	좌항		우항	번호	좌항		우항
01)	12 / (12 + 91)	○	28 / (28 + 195)	11)	33 / (33 + 96)	○	44 / (44 + 143)
02)	23 / (23 + 89)	○	55 / (55 + 206)	12)	21 / (21 + 43)	○	29 / (29 + 67)
03)	18 / (18 + 58)	○	51 / (51 + 168)	13)	31 / (31 + 92)	○	23 / (23 + 59)
04)	38 / (38 + 48)	○	17 / (17 + 23)	14)	53 / (53 + 27)	○	43 / (43 + 25)
05)	15 / (15 + 66)	○	28 / (28 + 126)	15)	16 / (16 + 51)	○	39 / (39 + 108)
06)	19 / (19 + 50)	○	50 / (50 + 134)	16)	48 / (48 + 96)	○	34 / (34 + 80)
07)	31 / (31 + 95)	○	26 / (26 + 85)	17)	54 / (54 + 21)	○	24 / (24 + 11)
08)	28 / (28 + 50)	○	54 / (54 + 74)	18)	46 / (46 + 31)	○	37 / (37 + 22)
09)	33 / (33 + 58)	○	12 / (12 + 16)	19)	19 / (19 + 36)	○	48 / (48 + 93)
10)	36 / (36 + 38)	○	45 / (45 + 41)	20)	24 / (24 + 29)	○	23 / (23 + 28)

■ 답안지

	좌항		우항		좌항		우항
01)	11.650%	〈	**12.537%**	11)	**25.581%**	〉	23.484%
02)	20.536%	〈	**21.037%**	12)	**32.813%**	〉	30.364%
03)	**23.684%**	〉	23.328%	13)	25.203%	〈	**27.918%**
04)	**44.186%**	〉	42.525%	14)	**66.250%**	〉	63.671%
05)	**18.519%**	〉	18.222%	15)	23.881%	〈	**26.503%**
06)	**27.536%**	〉	27.143%	16)	**33.333%**	〉	29.940%
07)	**24.603%**	〉	23.370%	17)	**72.000%**	〉	68.729%
08)	35.897%	〈	**42.105%**	18)	59.740%	〈	**63.040%**
09)	36.264%	〈	**42.493%**	19)	**34.545%**	〉	34.099%
10)	48.649%	〈	**52.129%**	20)	**45.283%**	〉	44.793%

연습문제

■ 문제지

번호	분수		비율	번호	분수		비율
01)	$\frac{148}{148 + 370}$	○	30%	11)	$\frac{915}{915 + 651}$	○	55%
02)	$\frac{273}{273 + 377}$	○	40%	12)	$\frac{729}{729 + 6036}$	○	10%
03)	$\frac{746}{746 + 2059}$	○	25%	13)	$\frac{847}{847 + 4896}$	○	15%
04)	$\frac{825}{825 + 308}$	○	70%	14)	$\frac{835}{835 + 3574}$	○	20%
05)	$\frac{600}{600 + 5508}$	○	10%	15)	$\frac{160}{160 + 27}$	○	85%
06)	$\frac{435}{435 + 82}$	○	85%	16)	$\frac{811}{811 + 6715}$	○	10%
07)	$\frac{968}{968 + 1088}$	○	45%	17)	$\frac{387}{387 + 177}$	○	70%
08)	$\frac{432}{432 + 99}$	○	80%	18)	$\frac{975}{975 + 1979}$	○	30%
09)	$\frac{192}{192 + 186}$	○	50%	19)	$\frac{160}{160 + 84}$	○	65%
10)	$\frac{501}{501 + 1743}$	○	20%	20)	$\frac{994}{994 + 6027}$	○	15%

■ 답안지

	빨셈 테크닉 사용 전 좌항	빨셈 테크닉 사용 후 좌항	빨셈 테크닉 사용 후 우항		빨셈 테크닉 사용 전 좌항	빨셈 테크닉 사용 후 좌항	빨셈 테크닉 사용 후 우항
01)	28.60%	40.05%	42.86%	11)	58.42%	140.49%	122.22%
02)	42.02%	72.46%	66.67%	12)	10.78%	12.08%	11.11%
03)	26.60%	36.23%	33.33%	13)	14.75%	17.30%	17.65%
04)	72.84%	268.20%	233.33%	14)	18.94%	23.36%	25.00%
05)	9.82%	10.89%	11.11%	15)	85.38%	584.19%	566.67%
06)	84.12%	529.60%	566.67%	16)	10.78%	12.08%	11.11%
07)	47.07%	88.93%	81.82%	17)	68.56%	218.07%	233.33%
08)	81.30%	434.78%	400.00%	18)	33.00%	49.26%	42.86%
09)	50.76%	103.09%	100.00%	19)	65.69%	191.46%	185.71%
10)	22.32%	28.74%	25.00%	20)	14.16%	16.49%	17.65%

예제

다음 〈표〉는 2008~2012년 '갑'국의 무역규모에 대한 자료이다. 이에 대한 〈설명〉의 정오는?

〈표〉 '갑'국의 연도별 무역규모

(단위: 백만달러)

항목 \ 연도	2008	2009	2010	2011	2012
무역규모	2,413	2,915	3,076	3,271	3,397
수출	1,862	2,232	2,453	2,653	2,681
수입	551	683	623	618	716

※ 무역규모 = 수출 + 수입

설명

1. 무역규모에서 수출이 차지하는 비중은 11년이 가장 높다. (O, X)

✓ 자료

✓ 설명

▸ 목적 파트는?

▸ 정보 파트는?

▸ 정오 파트는? (사용한 테크닉은?)

관점 적용하기

1. (O) 무역규모 = 수출 + 수입 → 전체와 부분으로 구성됨.

무역규모에서 수출액의 비중 = $\frac{수출}{무역규모} = \frac{부분}{전체}$ → 뺄셈 테크닉 적용가능

뺄셈 테크닉 적용 → $\frac{수출}{무역규모}$ → $\frac{수출}{수입}$

11년: $\frac{2653}{618}$ = 4↑, 다른 연도중에는 4보다 큰 연도가 없으므로, 11년이 가장 크다.

답 (O)

예제

다음 〈표〉는 2011~2014년 4대 범죄 발생건수에 대한 자료이다. 이에 대한 〈설명〉의 정오는?

〈표〉 2011~2014년 주요 4대 범죄 발생건수

범죄 \ 연도	2011년~2013년	2014년	합계
폭행	720,816	266,603	987,419
절도	408,599	158,899	567,498
교통	383,820	114,647	498,467
강도	603,818	284,150	887,968

설명

1. 2011~2014년 발생건수에서 2014년이 차지하는 비중이 가장 큰 주요 4대 범죄는 교통이다.

(O, X)

자료

설명

▸ 목적 파트는?

▸ 정보 파트는?

▸ 정오 파트는? (사용한 테크닉은?)

관점 적용하기

1. (X) 11~14년에서 11년의 비중 = $\frac{11년}{11년 \sim 14년}$ = $\frac{부분}{전체}$ → 빼셈 테크닉 적용가능

빼셈 테크닉 적용 → $\frac{11년}{11년 \sim 14년}$ → $\frac{11년}{11년 \sim 13년}$

교통: $\frac{114}{383}$ → $\frac{1}{3}$↓인데, 폭행 = $\frac{266}{720}$ → $\frac{1}{3}$↑이므로, 교통이 가장 크지 않다.

답 (X)

적용문제-01 (민 15-10)

다음 〈표〉는 A발전회사의 연도별 발전량 및 신재생에너지 공급 현황에 관한 자료이다. 이에 대한 〈설명〉의 정오는?

〈표〉 A발전회사의 연도별 발전량 및 신재생에너지 공급 현황

구분 \ 연도		2012	2013	2014
발전량(GWh)		55,000	51,000	52,000
신재생에너지	공급의무율(%)	1.4	2.0	3.0
	자체공급량(GWh)	75	380	690
	인증서구입량(GWh)	15	70	160

※ 1) 공급의무율(%) = $\frac{\text{공급의무량}}{\text{발전량}} \times 100$

2) 이행량(GWh) = 자체공급량 + 인증서구입량

설명

1. 이행량에서 자체공급량이 차지하는 비중은 매년 감소한다. (O, X)

✓ 자료

✓ 설명

▸ 목적 파트는?

▸ 정보 파트는?

▸ 정오 파트는? (사용한 테크닉은?)

관점 적용하기

1. (X) 이행량 = 자체 + 인증서 → 전체와 부분으로 구성됨.

이행량에서 자체공급량이 차지하는 비중 = $\frac{\text{자체}}{\text{이행량}}$ = $\frac{\text{부분}}{\text{전체}}$ → 빼셈 테크닉 적용가능

빼셈 테크닉 적용 → $\frac{\text{자체}}{\text{이행량}}$ → $\frac{\text{자체}}{\text{인증서}}$

12년은 $\frac{75}{15}$ = 5, 13년은 $\frac{380}{70}$ = 5↑이다. → 13년에 증가하였으므로 14년은 확인할 필요가 없다.

13년에 증가하였으므로 매년 감소하지 않았다.

답 (X)

적용문제-02 (5급 19-05)

다음 〈표〉는 A, B 기업의 경력사원채용 지원자 특성에 관한 자료이다. 이에 대한 〈설명〉의 정오는?

〈표〉 경력사원채용 지원자 특성

(단위: 명)

지원자 특성 \ 기업		A 기업	B 기업
성별	남성	53	57
	여성	21	24
최종 학력	학사	16	18
	석사	19	21
	박사	39	42
연령대	30대	26	27
	40대	25	26
	50대 이상	23	28
관련 업무 경력	5년 미만	12	18
	5년 이상 ~ 10년 미만	9	12
	10년 이상 ~ 15년 미만	18	17
	15년 이상 ~ 20년 미만	16	9
	20년 이상	19	25

※ A 기업과 B 기업에 모두 지원한 인원은 없음.

설명

1. 기업별 여성 지원자의 비율은 A 기업이 B 기업보다 높다. (O, X)

자료

설명

▶ 목적 파트는?

▶ 정보 파트는?

▶ 정오 파트는? (사용한 테크닉은?)

관점 적용하기

1. (X) 전체 지원자 = 남성 + 여성 → 전체와 부분으로 구성됨.

여성 지원자 비율 = $\frac{여성}{전체} = \frac{부분}{전체}$ → 뺄셈 테크닉 적용가능

뺄셈 테크닉 적용 → $\frac{여성}{전체}$ → $\frac{여성}{남성}$

A 기업은 $\frac{21}{53}$, B 기업은 $\frac{24}{57}$이다. → 기울기테크닉을 이용하면 $\frac{24}{57} = \frac{21+3}{53+4}$이므로, B 기업이 A 기업보다 크다.

답 (X)

적용문제-03 (민 17-22)

다음 〈표〉는 2012 ~ 2016년 조세심판원의 연도별 사건처리 건수에 관한 자료이다. 이에 대한 〈설명〉의 정오는?

〈표〉 조세심판원의 연도별 사건처리 건수

(단위: 건)

구분	연도	2012	2013	2014	2015	2016
처리대상 건수	전년이월 건수	1,854	( )	2,403	2,127	2,223
	당년접수 건수	6,424	7,883	8,474	8,273	6,003
	소계	8,278	( )	10,877	10,400	8,226
처리 건수	취하 건수	90	136	163	222	163
	각하 건수	346	301	482	459	506
	기각 건수	4,214	5,074	6,200	5,579	4,322
	재조사 건수	27	0	465	611	299
	인용 건수	1,767	1,803	1,440	1,306	1,338
	소계	6,444	7,314	8,750	8,177	6,628

※ 1) 당해 연도 전년이월 건수 = 전년도 처리대상 건수 - 전년도 처리 건수

2) 처리율(%) = $\frac{\text{처리건수}}{\text{처리대상 건수}} \times 100$

3) 인용률(%) = $\frac{\text{인용건수}}{\text{각하건수} + \text{기각건수} + \text{인용건수}} \times 100$

설명

1. 인용률은 2012년이 2014년보다 높다.

(O, X)

자료

설명

▸ 목적 파트는?

▸ 정보 파트는?

▸ 정오 파트는? (사용한 테크닉은?)

관점 적용하기

1. (O) 인용률 = $\frac{\text{인용건수}}{\text{각하건수} + \text{기각건수} + \text{인용건수}} = \frac{\text{부분}}{\text{전체}}$ → 빼셈 테크닉 적용가능

빼셈 테크닉 적용 → $\frac{\text{인용건수}}{\text{각하건수} + \text{기각건수} + \text{인용건수}}$ → $\frac{\text{인용건수}}{\text{각하건수} + \text{기각건수}}$

12년: $\frac{176}{34+421}$, 14년: $\frac{144}{48+620}$ 이다. → 12년이 분모는 더 큰데 분자는 더 작으므로 12년이 14년보다 크다.

답 (O)

적용문제-04 (5급 18-23)

다음 〈표〉는 임진왜란 전기·후기 전투 횟수에 관한 자료이다. 이에 대한 〈설명〉의 정오는?

〈표〉 임진왜란 전기·후기 전투 횟수

(단위: 회)

구분 \ 시기		전기		후기		합계
		1592년	1593년	1597년	1598년	
전체 전투		70	17	10	8	105
공격 주체	조선측 공격	43	15	2	8	68
	일본측 공격	27	2	8	0	37
전투 결과	조선측 승리	40	14	5	6	65
	일본측 승리	30	3	5	2	40
조선의 전투 인력 구성	관군 단독전	19	8	5	6	38
	의병 단독전	9	1	0	0	10
	관군·의병 연합전	42	8	5	2	57

설명

1. 전체 전투 대비 관군 단독전 비율은 1598년이 1592년의 2배 이상이다. (O, X)

✓ 자료

✓ 설명

▸ 목적 파트는?

▸ 정보 파트는?

▸ 정오 파트는? (사용한 테크닉은?)

간단 퀴즈

Q 굳이 빨셈테크닉을 사용하겠다면, 어떻게 해야 할까?

A 92년은 2관군을 뺀다.

관점 적용하기

1. (O) 전체 대비 관군단독전 = $\frac{관군단독전}{전체}$ = $\frac{부분}{전체}$ → 빨셈 테크닉 적용가능

★ 빨셈 테크닉이 적용 가능한 형태이다.
하지만, 빨셈 테크닉을 적용하면 분수값 자체가 변화한다.
따라서, 설명처럼 분수값의 배수를 물어보는 형태에서는 바로 적용하면 안된다.
98년: $\frac{6}{8}$=75%이고, 92년: $\frac{19}{70}$=30%↓이다. → 당연히 2배 이상이다.

만약, 빨셈 테크닉을 적용하고 싶다면 다음과 같이 적용해야 한다.
98년과 92년의 2배와 비교하는 것이므로, → 98년($\frac{6}{8}$) VS 92년의 2배($\frac{38}{70}$)
빨셈테크닉을 적용하면 → 98년($\frac{6}{2}$) VS 92년의 2배($\frac{38}{32}$) → 98년이 더 크다.

답 (O)

3 분수 비교 - 요약

Q 분수 비교의 흐름도

일반적인 분수 비교의 흐름은 다음과 같다.

step ① 후보군 → 정오판단 기준잡기 (반례찾기)

↓

step ② 공통과 차이 → 공통부분 무시 (동일 자릿수 무시)

↓

step ③ 계산의 2단계 → 논리적 사고와 어림셈 이용하기

↓

step ④ 계산이 아닌 가공 → 비교 테크닉(돋보기)을 이용한 비교하기

※ 대부분의 문제는(80%↑) step ③에서 해결된다. 추가로 필요할 때만 step ④를 활용하자.

각 대표 설명의 유형에 따른 세세한 접근 방법은 우측에 주어져 있다.

Q 논리적 사고란 무엇인가요?

논리적 사고란 곱셈의 값을 실제로 구하지 않고도 '논리적'으로 당연한 결과를 생각하는 것을 말한다.

예를 들어 $\frac{A}{B}$와 $\frac{C}{D}$를 비교할 때,

분자는 커지고 분모가 작아지면 더 크고, ($\frac{A}{B}$ → $\frac{C}{D}$ 기준, A 〈 C, B 〉 D)

분자는 작아지고 분모가 커지면 더 작다. ($\frac{A}{B}$ → $\frac{C}{D}$ 기준, A 〉 C, B 〈 D)

반면, 분자와 분모 모두 크거나, 모두 작다면 추가적인 확인이 필요하다.

$\frac{A}{B}$ VS $\frac{C}{D}$	A 〉 C (분자)	A 〈 C (분자)
B 〉 D (분모)	추가 확인 필요	$\frac{A}{B}$ 〈 $\frac{C}{D}$
B 〈 D (분모)	$\frac{A}{B}$ 〉 $\frac{C}{D}$	추가 확인 필요

대표 설명별 접근법 요약

대표 설명별 접근법

■ 다수의 분수의 대소를 비교하는 형태 ex) 영업이익률이 가장 큰 해는 11년이다.

1) 후보군 : 11년 → 2) 고정값 만들기 : 11년 어림셈 → 3) 처낼 것 처내기 : 고정값으로 비교 → 4) 남은 것 비교 테크닉 : 플마, 배수, 기울기

■ 분수와 고정값을 비교하는 형태 ex) 매년 영업이익률은 35% 이상이다.

1) 후보군 (반례 찾기) : 가장 작은 국가 찾기 → 2) 비교 테크닉 : 가장 작을 국가 찾기 → 3) 플마찢기로 비교 : 가장 작은 국가비교

■ 2개의 분수의 대소를 비교하는 형태 ex) 영업이익률은 08년이 12년보다 크다.

1) 배수가 예쁘게 보인다면 : 배수 테크닉 → 2) 차이값이 작다면 : 기울기 테크닉 → 3) 부분과 전체라면 : 뺄셈 테크닉

■ 2개의 분수의 배수를 구하는 형태 ex) 영업이익률은 11년이 08년의 1.5배 이상이다.

1) 설명의 배수값을 이용 : 3배를 이용 → 2) 배수가 예쁘게 보인다면 : 배수 테크닉 → 3) 배수가 안 보인다면 : 3배하여 비교 테크닉

■ 2개의 분수의 차이값을 구하는 형태 ex) 10년 영업이익률은 08년 대비 5%p 이상 증가했다.

1) 주어진 차이값인 5%p를 이용하여 접근
 : 정밀한 접근이 필요하다면 플마찢기를 통한 정밀하게 분수값 구하기

II

관점 익히기

앞에서 배운 이론을 아래의 문제에 실제로 적용해보자.

1) 4가지 관점: 후보군, 계산의 2단계, 계산이 아닌 가공, 공통과 차이

2) 비교의 접근 단계

　1단계 어림셈과 논리 통해 쳐낼 것 쳐내는 단계

　2단계 쳐내지지 않은 것을 비교 테크닉을 통해 비교하는 단계

　※ 곱셈 비교 테크닉 = 배수 테크닉, 사각 테크닉, 합차 테크닉

　　분수 비교 테크닉 = 배수 테크닉, 기울기 테크닉, 뺄셈 테크닉

4 관점 익히기 (Drill) <Day.5>

Q Drill의 목표는 무엇인가요?

Drill의 목표는
내가 진짜 알고 있는 것인지, 아니면 모르는데 해설을 통해 알았다고 느낀 것인지를 확인하는 것이다.

그렇기에 앞에서와 같이 상세한 해설이 존재하지 않는다.
대신, 방향성에 대해서는 제시한다.

자신의 관점 적용하기를 직접 만든다고 생각하며 문제를 풀자.
만약, 그것이 힘들다면, 제시된 방향성을 힌트로 이용하며 앞부분을 다시 복습하자.
모른다고 좌절할 필요도, 걱정할 필요도 없다. 복습하고 다시 복습하면 될 뿐이다.
시험 전에는 마음껏 틀려도 된다. 우리의 진짜 목표는 시험장에서 틀리지 않기 위한 것이다.
따라서, 지금 틀리는 것은 자신이 진짜로 아는 것이 무엇인지, 모르는 것이 무엇인지 선별하는 과정일 뿐이다.
모르기에 배우는 것이니, 모르는 것을 알게 되는 것을 무서워하지 말고, 배우면 될 뿐이다.

총 30문항의 Drill를 풀 때, 시간에 구애받지 말고 자신만의 관점 적용하기(해설)를 만들자.

Q 문제를 풀기 전 앞에서 배운 것을 직접 요약하여 적어보세요.

4가지 관점

1) 후보군

2) 계산의 2단계

3) 계산이 아닌 가공

4) 공통과 차이

곱셈 비교 테크닉

1) 배수 테크닉

2) 사각 테크닉

3) 합차 테크닉

분수 비교 테크닉

1) 배수 테크닉

2) 기울기 테크닉

3) 뺄셈 테크닉

드릴-01 (4가지 관점)

다음 〈표〉는 '갑'스토어의 월별 접속자수와 구매자수에 관한 자료이다. 이에 대한 〈설명〉의 정오는?

〈표〉 월별 접속자 및 구매자 수

(단위: 명)

구분 \ 월별	1월	2월	3월	4월	5월	6월
접속자	4,270	3,285	4,433	3,075	5,128	6,052
구매자	699	511	629	520	793	984

※ 구매전환율(%) = $\frac{\text{구매자}}{\text{접속자}} \times 100$

설명

1. '갑'스토어의 1~6월 구매전환율은 매월 15% 이상이다.

(O, X)

자료

설명

▸ 목적 파트는?

▸ 정보 파트는?

▸ 정오 파트는?

방향성 제시

반례가 될 후보는 무엇일까?

간단 해설

1. (X) 월별 전환율은 아래와 같다.

1월	2월	3월	4월	5월	6월
16.37	15.56	14.19	16.91	15.46	16.26

답 (X)

드릴-02 (4가지 관점)

다음 〈표〉는 지역별 미세먼지 월평균 농도와 전년 대비 증가율에 대한 자료이다. 이에 대한 〈설명〉의 정오는?

〈표〉 지역별 미세먼지 월평균 농도 및 증가율

(단위: ㎍/㎥, %)

지역 \ 구분	2월		3월		4월	
	농도	증가율	농도	증가율	농도	증가율
서울	56.9	5.2	61.5	5.5	62.1	5.6
인천	61.1	5.1	65.4	5.5	71.3	5.8
부산	66.3	7.2	69.0	7.7	69.6	8.2
대구	45.2	2.3	48.4	2.5	49.3	2.7
대전	57.3	5.1	63.0	5.2	68.1	5.6
광주	58.2	6.2	63.4	6.7	67.9	7.0
울산	56.6	8.2	57.2	8.4	60.0	8.5
세종	51.2	2.3	55.3	2.4	57.5	2.6
제주	57.2	5.1	61.8	5.3	63.1	5.6
기타	57.2	3.1	62.9	3.3	68.6	3.6
전국	48.6	5.5	52.0	5.9	56.7	6.4

설명

1. 기타지역을 제외하고 2월의 전년 대비 증가율이 5% 이상인 지역은 모두 미세먼지 농도가 전국의 1.15배 이상이다.

(O, X)

자료

설명

▸ 목적 파트는?

▸ 정보 파트는?

▸ 정오 파트는?

방향성 제시

반례가 될 후보는 무엇일까?

간단 해설

1. (O) 전년대비 증가율이 5%를 넘는 지역은 서울, 인천, 부산, 대전, 광주, 울산, 제주이다.
   전국 (48.6)의 1.15배는 55.89이다.
   서울, 인천, 부산, 대전, 광주, 울산, 제주는 모두 55.89를 넘어가므로 모두 1.15배 이상이다.
   (※ 반례가 될 것 같은 후보는 누구일까?)

답 (O)

드릴-03 (4가지 관점)

다음 〈표〉는 '갑'국의 소득 수준별 가구수에 관한 자료이다. 이에 대한 〈설명〉의 정오는?

〈표〉 소득 수준별 가구수

(단위: 가구)

지역 \ 소득수준	200만원 이하	200~300 만원	300~400 만원	400~500 만원	500만원 이상	전체 가구수
A	326	490	525	473	41	1,855
B	411	835	420	315	275	2,256
C	125	289	323	491	893	2,121
D	615	841	944	975	321	3,696

※'갑'국은 오직 A~D지역만 존재함.

설명

1. '갑'국에서 가구 평균소득이 가장 낮은 지역은 A이다.

(O, X)

자료

설명

▸ 목적 파트는?

▸ 정보 파트는?

▸ 정오 파트는?

방향성 제시

반례를 생각하면서 설명을 풀었는가?

간단 해설

1. (X) 만약 A지역에 대기업의 CEO만 산다고 생각해보자.
인원은 적을지라도 평균값은 B~D지역보다 높을 수도 있다.

답 (X)

드릴-04 (4가지 관점)

다음 〈표〉는 A고등학교 학생의 체중 현황에 관한 자료이다. 이에 대한 〈설명〉의 정오는?

〈표〉 A고등학교 학생의 체중 현황

(단위: 명)

구 분	고1		고2		고3	
	전체 학생	비만 학생	전체 학생	비만 학생	전체 학생	비만 학생
2020년	642	173	661	188	688	198
2019년	661	188	688	198	708	218

※ 1) 비만의 기준은 BMI(체질량지수) 기준 25 이상으로 함.

2) 비만율(%) = $\frac{\text{비만 학생}}{\text{전체 학생}} \times 100$

설명

1. 2020년 A고등학교의 학생의 비만율은 전년도에 비해 감소했다.

(O, X)

자료

설명

▸ 목적 파트는?

▸ 정보 파트는?

▸ 정오 파트는?

방향성 제시

공통과 차이를 잘 보았는가?

간단 해설

1. (O) 2020년 비만율: $\frac{173+188+198}{642+661+688} = \frac{559}{1,991} = 28.1\%$

2019년 비만율: $\frac{188+198+218}{661+688+708} = \frac{604}{2,057} = 29.4\%$

2020년의 비만율은 전년도에 비해 감소했다.

(※ 공통과 차이가 보이는가?)

답 (O)

드릴-05 (4가지 관점)

다음 〈표〉와 〈정보〉는 승객별 항공 이용 현황과 항공 요금 계산방법에 관한 자료이다. 이에 대한 〈설명〉의 정오는?

〈표〉 승객별 항공 이용 현황

(단위: km)

승객 \ 구분	이동 거리	항공사 등급	좌석 등급	사용 마일리지
A	3500	A	일등급	750
B	10500	B	비지니스	2250
C	14000	S	이코노미	3000

정보

- 항공 요금(원) = 비용 거리 × 항공사 요율 × 좌석 요율 × 135원
- 비용 거리 = 이동 거리 - 차감 거리
  ※ 차감 거리는 1마일리지 당 1.6km의 거리를 차감함.
- 항공사 요율

항공사 등급	항공사 요율
S	2.1
A	1.5
B	1.0

- 좌석 요율

좌석 등급	좌석 요율
일등급	5.5
비지니스	2.5
이코노미	1.0

설명

1. 가장 많은 항공 요금을 내는 승객은 A이다.

(O, X)

✓ 자료

✓ 설명

▸ 목적 파트는?

▸ 정보 파트는?

▸ 정오 파트는?

방향성 제시

계산의 양을 줄이기 위해 가공 했는가?

간단 해설

1. (X) 각 승객별 항공 요금은 다음과 같다.

승객 \ 구분	이동 거리	차감 거리	비용거리	항공사 요율	좌석 요율	항공 요금
A	3500	1200	2300	1.5	5.5	2,561,625
B	10500	3600	6900	1.0	2.5	2,328,750
C	14000	4800	9200	2.1	1.0	2,608,200

따라서, 가장 많은 항공요금을 내는 승객은 C이다.

답 (X)

드릴-06 (4가지 관점)

다음 〈표 1〉과 〈표 2〉는 지원자의 평가지표별 성적과 부처의 평가지표 가중치에 관한 자료이다. 이에 대한 〈설명〉의 정오는?

〈표 1〉 지원자의 평가지표별 성적

(단위: 점)

구분 / 지원자	원서	시험	면접	연수원
A	50	50	90	80
B	90	40	80	60
C	50	80	60	90
D	50	90	80	40
E	90	70	40	50

〈표 2〉 부처별 평가지표별 가중치

구분 / 부처	원서	시험	면접	연수원
가	20%	10%	40%	30%
나	10%	20%	10%	60%
다	30%	10%	40%	20%

※ 1) 최종 성적은 각 항목의 성적×가중치의 합으로 구성됨.
2) 각 부처는 최종성적이 가장 높은 1명을 선발함.

설명

1. '다' 부처에는 B가 선발된다.

(O, X)

자료

설명

▸ 목적 파트는?

▸ 정보 파트는?

▸ 정오 파트는?

방향성 제시

점수가 높기 위해서 중요한 것은 무엇일까?

간단 해설

1. (O) 각 부처의 가중치를 이용하여 계산한 지원자별 성적은 아래와 같다.

지원자 / 부처	가	나	다
A	75	72	72
B	72	61	75
C	69	81	65
D	63	55	64
E	56	57	60

각 부처별로 1명만 선발하므로, 가 = A 나 = C 다 = B를 선발함.
(※ 점수가 높기 위해서 중요한 것은 무엇일까?)

답 (O)

드릴-07 (4가지 관점)

다음 〈표〉는 운동선수 '갑'의 일별 칼로리 섭취 현황이다. 이에 대한 〈설명〉의 정오는?

〈표〉 운동선수 '갑'의 일별 칼로리 섭취

(단위: kcal, %)

구분 / 일별	섭취 칼로리	단백질 섭취 비율
1일	1,757	20.7
2일	1,672	21.5
3일	1,958	16.3
4일	2,053	18.3
5일	1,735	21.2

※ 1) 단백질 섭취 비율(%) $= \frac{\text{단백질 섭취 칼로리}}{\text{섭취 칼로리}} \times 100$

2) 단백질은 1g당 4kcal의 칼로리이다.

설명

1. 5일간 섭취한 단백질 양은 3일에 섭취한 단백질 양의 5배 이상이다. (O, X)

✔ 자료

✔ 설명

▸ 목적 파트는?

▸ 정보 파트는?

▸ 정오 파트는?

방향성 제시

계산의 양을 줄이기 위해 가공 했는가?

간단 해설

1. (O) 일별 단백질 섭취량은 다음과 같다.

구분 / 일별	단백질 섭취 칼로리	단백질 섭취량
1일	363.7	90.9
2일	359.5	89.9
3일	319.2	79.8
4일	375.7	93.9
5일	367.8	92.0
합계	1785.9	446.5

5일간 섭취한 총 단백질은 446.5g이므로, 3일에 섭취한 79.8g의 5배 이상이다.
(※ 3일에 섭취한 단백질량은 다른 날에 섭취한 단백질량에 비해 어떤 특징을 가지고 있는가?)

답 (O)

드릴-08 (4가지 관점)

다음 〈표〉는 2020년 '갑'국 연령대별 취업자 및 퇴직자 현황에 관한 자료이다. 이에 대한 〈설명〉의 정오는?

〈표〉 2020년 '갑'국 연령대별 취업자 및 퇴직자 현황 (단위: 천명)

연령대별 \ 구분	취업자	퇴직자
15 ~ 29세	4,121	752
30 ~ 39세	5,100	612
40~ 49세	8,225	1,241
50세 이상	6,319	918

※ 1) 15세 미만 취업자는 없음.

2) 퇴직률(%) = $\frac{\text{퇴직자}}{\text{취업자}} \times 100$

설명

1. 갑국의 2022년 퇴직률은 15% 이상이다.

(O, X)

자료

설명

▸ 목적 파트는?

▸ 정보 파트는?

▸ 정오 파트는?

방향성 제시

계산의 양을 줄이기 위해 가공 했는가?

간단 해설

1. (X) 2020년 갑국의 전체 취업자: 4,121+5,100+8,225+6,319 = 23,765

2020년 갑국의 전체 퇴직자: 752+612+1241+918 = 3,523

$\frac{3523}{23765}$ = 14.82%

답 (X)

드릴-09 (4가지 관점)

다음 〈표〉는 건축물 A~C의 면적과 매매가격에 관한 자료이다. 이에 대한 〈설명〉의 정오는?

〈표〉 건축물 A~C의 면적과 매매가격

(단위: 평, 백만원, %)

구분 \ 건축물	A	B	C
면적	28.0	34.0	42.0
매매시 평당 가격	16.0	15.0	14.0
급매시 할인율	14.3	15.0	16.6

※ 1) 매매시 가격 = 매매시 평당 가격 × 면적

2) 할인율 (%) = $\frac{\text{매매시 가격} - \text{급매시 가격}}{\text{매매시 가격}} \times 100$

설명

1. 급매시 건축물 A와 C의 가격 차이는 1.2억원 이하이다. (O, X)

자료

설명

▸ 목적 파트는?

▸ 정보 파트는?

▸ 정오 파트는?

방향성 제시

할인전 가격차이를 이용해보는 것은 어떨까?

간단 해설

1. (O) 건축물 A의 급매시 가격: 28×1600×(100−14.3)% = 28×1600×(6/7) = 38400 (만원)
   건축물 C의 급매시 가격: 42×1400×(100−16.6)% = 42×1400×(5/6)↓ = 49000 (만원)
   건축물 A와 건축물 C의 가격 차이는 1.2억원 이하이다.

답 (O)

드릴-10 (4가지 관점)

다음 〈표〉는 폐기물 처리 업체별 요금표에 관한 자료이다. 이에 대한 〈설명〉의 정오는?

〈표〉 폐기물 처리 업체별 요금표

구분 \ 업체	A	B	C
폐기물 처리 요금 (천원)	2,000	3,000	4,000
처리 단위 (kg)	100	200	300
배송비 (원/kg)	3,000	5,000	6,000

※ 1) 폐기물는 처리 단위를 기준으로 처리 요금을 부과함.
 ex) A업체에 250kg를 처리하면 3단위를 처리했으므로 폐기물 처리 요금이 3번 부과됨.
 2) 최종 비용은 폐기물 처리요금과 배송비의 합으로 구성됨.
 3) 소비자는 최종 비용이 가장 저렴한 업체만 선택함.

설명

1. 750kg의 폐기물을 처리한다면 B업체를 선택한다.
(O, X)

2. 600kg의 폐기물을 처리한다면 C업체를 선택한다.
(O, X)

자료

설명

▸ 목적 파트는?

▸ 정보 파트는?

▸ 정오 파트는?

방향성 제시

계산의 양을 줄이기 위해 가공 했는가?

간단 해설

1. (O) 750kg의 폐기물의 처리 비용은 다음과 같다.

구분 \ 업체	A	B	C
처리 단위	8	4	3
처리 비용(천원)	16,000	12,000	12,000
배송비(천원)	2,250	3,750	4,500
합계(천원)	18,250	15,750	16,500

B업체가 가장 저렴하다. 따라서 B업체를 선택한다.

2. (X) 600kg의 폐기물의 처리 비용은 다음과 같다.

구분 \ 업체	A	B	C
처리 단위	6	3	2
처리 비용(천원)	12,000	9,000	8,000
배송비(천원)	1,800	3,000	3,600
합계(천원)	13,800	12,000	11,600

B업체가 가장 저렴하다. 따라서 B업체를 선택한다.

답 (O, X)

드릴-11 (곱셈 비교)

다음 〈표〉는 갑국의 지역별 토지면적과 평당가치에 관한 자료이다. 이에 대한 〈설명〉의 정오는?

〈표〉 갑국의 지역별 토지면적과 평당 가치

(단위: 평, 천원)

구분	토지면적	평당 가치
A시	32,448	66.8
B시	65,465	74.8
C시	64,485	75.1
D시	77,841	57.1
E시	66,521	26.5
F시	51,235	40.3
G시	98,392	61.6
H시	48,114	122.1

※ 토지총액(천원) = 토지면적 × 평당 가치

설명

1. 토지총액은 D시가 C시보다 작다.

(O, X)

2. 토지총액이 가장 큰 도시는 H시이다.

(O, X)

자료

설명

▸ 목적 파트는?

▸ 정보 파트는?

▸ 정오 파트는?

방향성 제시

1) 예쁜 숫자를 잘 이용했는가?

2) 비교테크닉을 잘 이용했는가?

간단 해설

1. (O) 토지 총액 = 토지면적 × 평당 가치
   D: 77841 × 57.1 = 4,444,721　　C: 64485 × 75.1 = 4,842,824
   토지총액은 D시가 C시보다 작다.
2. (X) 토지 총액 = 토지면적 × 평당 가치
   H: 48114 × 122.1 = 6,000,000↓
   6백만 근처가 될 수 있는 지역은 G시 뿐이므로, G시와 H시만 비교하자.
   G: 98392 × 61.6 = 6,000,000↑
   G시가 H시보다 크다.

답 (O, X)

드릴-12 (곱셈 비교)

다음 〈표〉는 지역별 성인 흡연율에 관한 자료이다. 이에 대한 〈설명〉의 정오는?

〈표〉 지역별 성인 흡연율

(단위: 천명, %)

지역	남성인구	여성인구	남성 흡연율	여성 흡연율
A시	181	171	64	65
B시	183	179	63	61
C시	187	165	61	68
D시	173	167	68	67
E시	179	161	65	70

※ $\text{흡연율} = \frac{\text{흡연인구}}{\text{인구}} \times 100$

설명

1. 남성 흡연인구가 가장 많은 도시는 D도시다.

(O, X)

2. 여성 흡연인구가 가장 적은 도시는 B도시다.

(O, X)

자료

설명

▸ 목적 파트는?

▸ 정보 파트는?

▸ 정오 파트는?

방향성 제시

차이값이 예쁠땐 무슨 테크닉을 사용하는 게 좋을까?

간단 해설

1. (O) 흡연 인구 = 인구 × 흡연율

A도시	B도시	C도시	D도시	E도시
11584	11529	11407	11764	11635

D도시가 가장 크다.
(※ 도시의 인구와 흡연율이 크게 차이 나지 않으므로, 사각테크닉이나, 합차테크닉을 이용하기 좋다.)

2. (O) 흡연 인구 = 인구 × 흡연율

A도시	B도시	C도시	D도시	E도시
11115	10919	11220	11189	11270

B도시가 가장 작다.
(※ 도시의 인구와 흡연율이 크게 차이 나지 않으므로, 사각테크닉이나, 합차테크닉을 이용하기 좋다.)

답 (O, O)

드릴-13 (곱셈 비교)

다음 〈표〉는 운동선수 A의 날짜별 섭취 칼로리에 관한 자료이다. 이에 대한 〈설명〉의 정오는?

〈표〉 운동선수 A의 날짜별 섭취 칼로리

(단위: kcal, %)

요일	필요칼로리	섭취율
월요일	2,630	110.2
화요일	2,700	88.9
수요일	2,310	130.1
목요일	2,800	85.0
금요일	2,100	90.3

※ 섭취율(%) = $\frac{\text{섭취칼로리}}{\text{필요칼로리}} \times 100$

설명

1. A가 섭취한 칼로리는 화요일이 목요일 보다 많다. (O, X)
2. A가 섭취한 칼로리는 월요일이 금요일의 1.5배 이상이다. (O, X)

✓ 자료

✓ 설명

▸ 목적 파트는?

▸ 정보 파트는?

▸ 정오 파트는?

방향성 제시

1) 예쁜 숫자를 이용했는가?

2) 곱셈 테크닉을 이용했는가?

간단 해설

1. (O) 섭취칼로리 = 필요칼로리 × 섭취율
   화요일: 2700×88.9 = 2400↑ 목요일: 2800 × 85.0 = 2400↓ (※ 예쁜 숫자를 이용하자.)
   화요일이 목요일보다 더 많은 칼로리를 섭취했다.
2. (O) 월요일: 2630×110.2 ≒ 2900 금요일 = 2100×90.3 ≒ 1900
   따라서, 1.5배 이상이다.
   (※ 곱셈 테크닉을 이용해보는 것도 좋다.)

답 (O, O)

드릴-14 (곱셈 비교)

다음 〈표〉는 연도별 폐기물 처리현황에 관한 자료이다. 이에 대한 〈설명〉의 정오는?

〈표〉 연도별 폐기물 처리 현황

(단위: km^2, 천명, kg)

연도	처리면적	처리인구	처리인구 1인당 일평균 배출량
2007	90,618	49,538	1.02
2008	90,564	50,089	1.04
2009	90,466	52,089	1.02
2010	96,175	50,903	0.96
2011	97,889	51,432	0.95
2012	97,671	52,043	0.95
2013	98,467	50,572	0.97
2014	98,510	52,294	0.95
2015	98,328	52,640	0.97
2016	98,317	53,112	1.01

※ 처리인구 1인당 일평균 배출량 = $\frac{\text{일평균 폐기물 배출량}}{\text{처리인구}}$

설명

1. 일평균 폐기물 배출량은 2011년 이후 매년 증가했다. (O, X)

2. 일평균 폐기물 배출량은 2009년은 2008년보다 천 톤 이상 많다. (O, X)

✔ 자료

✔ 설명

▸ 목적 파트는?

▸ 정보 파트는?

▸ 정오 파트는?

방향성 제시

1) 사각테크닉을 이용해보는 것은 어떨까?

2) 사각테크닉을 이용해보는 것은 어떨까?

간단 해설

1. (X) 일평균 폐기물 배출량 = 처리인구 × 처리인구 1인당 일평균 배출량
연도별 일평균 폐기물 배출량은 다음과 같다.

11년	12년	13년	14년	15년	16년
48860.4	49440.85	49054.84	49679.3	51060.8	53643.12

13년에 전년대비 감소하였다.

2. (O) 2009년: 52,089×1.02 = 53130.78(톤) 2008년: 52092.56(톤)
2009년이 2008년보다 천 톤 이상 많다.

답 (X, O)

드릴-15 (곱셈 비교)

다음 〈표〉는 고릴라사의 항목별 연구 개발비 및 비중에 대한 자료이다. 이에 대한 〈설명〉의 정오는?

〈표〉 고릴라사의 항목별 연구 개발비 및 비중

항목 \ 연도	2013	2014	2015
신제품 개발(%)	45.3	44.4	43.8
기존제품 개선(%)	23.5	23.1	21.1
신공정 개발(%)	18.3	21.9	21
기존공정 개선(%)	12.9	10.6	14.1
전체 연구비(천원)	381,833	432,229	485,599

설명

1. 신제품 개발에 사용되는 연구개발비는 매년 증가하였다.
(O, X)

2. 기존제품 개선에 사용되는 연구개발비는 매년 증가하였다.
(O, X)

3. 2014년에 연구개발비가 감소한 용도가 존재한다.
(O, X)

✓ 자료

✓ 설명

▸ 목적 파트는?

▸ 정보 파트는?

▸ 정오 파트는?

방향성 제시

1) 배수테크닉을 이용해보는 것은 어떨까?

2) 배수테크닉을 이용해보는 것은 어떨까?

3) 감소하려면 비중은 어떻게 변해야 할까?

간단 해설

각 항목별 연구 개발액은 다음과 같다.

항목 \ 연도	2013	2014	2015
신제품 개발비	172970.3	191909.7	212692.4
기존제품 개선비	89730.76	99844.9	102461.4
신공정 개발비	69875.44	94658.15	101975.8
기존공정 개선비	49256.46	45816.27	68469.46

1. (O) 신제품 개발비는 매년 증가했다.
2. (O) 기존제품 개선비용은 매년 증가했다.
3. (O) 기존공정 개선비는 2014년에 전년대비 감소하였다.

답 (O, O, O)

드릴-16 (곱셈 비교)

다음 〈표〉는 2010년 국가별 커피 수입현황에 관한 자료이다. 이에 대한 〈설명〉의 정오는?

〈표〉 2010년 국가별 커피 수입현황

(단위: kg, 달러)

국가 \ 구분	생두		원두	
	중량	단가	중량	단가
A국	14,362	4.6	2,302	10.7
B국	19,849	3.1	1,236	13.4
C국	42,481	2.5	824	26.8
D국	35,082	3.2	624	31.8

※ 단가 = $\frac{\text{수입 총액}}{\text{중량}}$

설명

1. 원두 수입총액은 D국이 C국보다 많다.

(O, X)

2. 생두 수입총액이 가장 많은 국가는 D국이다.

(O, X)

3. 원두 수입총액은 C국이 B국의 1.5배 이상이다.

(O, X)

✓ 자료

✓ 설명

▸ 목적 파트는?

▸ 정보 파트는?

▸ 정오 파트는?

방향성 제시

1) 합차테크닉을 이용해보는 것은 어떨까?

2) D국과 비교가 필요한 국가는 어디일까?

3) 배수테크닉을 편하게 이용했는가?

간단 해설

각 국가의 생두와 원두의 수입 총액은 다음과 같다.

국가 \ 구분	생두	원두
A국	66065.2	24631.4
B국	61531.9	16562.4
C국	106202.5	22083.2
D국	112262.4	19843.2

1. (X) 원두 수입총액은 C국이 D국보다 많다.
2. (O) 생두 수입 총액이 가장 많은 국가는 D국이다.
3. (X) 원두 수입총액은 C국이 B국의 1.5배 이하이다.

답 (X, O, X)

드릴-17 (곱셈 비교)

다음 〈표〉는 전세계 '갑'급 논문수 와 국가별 비중에 관한 자료이다. 이에 대한 〈설명〉의 정오는?

〈표〉 전세계 '갑'급 논문 수와 국가별 비중

(단위: 편, %)

구분 \ 연도	2013	2014	2015	2016
'갑'급 논문수	30,885	33,782	42,153	50,825
A국	7.7	13.1	19.1	23.7
B국	5.8	9.3	7.7	8.7
C국	3.4	2.9	2.5	2.9
D국	18.1	15.1	14.2	13.1

설명

1. 2014년 D국의 갑급 논문은 작년에 비해 증가했다. (O, X)
2. 2014년 B국의 갑급 논문은 작년에 비하여 1000편 이상 증가했다. (O, X)
3. 2013년 대비 2016년 갑급 논문의 증가폭은 A국이 C국의 10배 이상이다. (O, X)

✓ 자료

✓ 설명

▸ 목적 파트는?

▸ 정보 파트는?

▸ 정오 파트는?

방향성 제시

1) 배수테크닉을 이용해보는 것은 어떨까?
2) 사각테크닉을 값을 정확하게 구해야 할까?
3) A와 C국중 무엇부터 구하는게 좋을까?

간단 해설

각 대륙별 '갑'급 논문 편수는 다음과 같다.

항목 \ 연도	2013	2014	2015	2016
A국	2378	4818	8051	12046
B국	1791	3421	3246	4422
C국	1050	1067	1054	1474
D국	5590	5554	5986	6658

1. (X) D국은 전년도에 비하여 감소하였다.
2. (O) 2014년 B국은 전년에 비해 1,000편 이상 증가했다.
3. (O) C국은 500편도 증가하지 않았으나, A국은 10,000편가량 증가했으므로 10배 이상이다.

답 (X, O, O)

드릴-18 (곱셈 비교)

다음 〈표〉는 도시별 15세 이상 인구와 실업률에 관한 자료이다. 이에 대한 〈설명〉의 정오는?

〈표〉 도시별 15세 이상 인구

(단위: 천명)

구분	갑시	을시
청년 인구 (15-34세)	9,831	10,442
15세 이상 인구	25,281	27,681

※ 청년인구는 15세~34세 인구를 의미함.

〈표〉 도시별 실업률

(단위: %)

구분	갑시	을시
청년 실업률	9.5	8.9
15세 이상 실업률	5.5	4.9

※ 실업률(%) = $\frac{\text{실업자}}{\text{인구}} \times 100$

설명

1. 청년실업자는 갑시가 을시보다 많다. (O, X)
2. 15세 이상 실업자는 갑시가 을시보다 많다. (O, X)
3. 35세 이상 실업자는 갑시가 을시보다 많다. (O, X)

자료

설명

▸ 목적 파트는?

▸ 정보 파트는?

▸ 정오 파트는?

방향성 제시

1) 배수테크닉을 이용해보는 것은 어떨까?
2) 사각테크닉을 값을 정확하게 구해야 할까?
3) 사각테크닉을 이용해보는 것은 어떨까?

간단 해설

갑시와 을시의 실업자수는 다음과 같다.

	갑시	을시
청년 실업자	934	929
15세 이상 실업자	1390	1356

1. (O) 청년실업자는 갑시가 을시보다 많다.
2. (O) 15세 이상 실업자는 갑시가 을시보다 많다.
3. (O) 35세 이상 실업자 = 15세 이상 실업자 - 청년실업자로 구성된다.
   갑시: 1390−934 = 456, 을시: 1356−929 = 427
   갑시가 을시보다 많다.

답 (O, O, O)

드릴-19 (곱셈 비교)

다음 〈표〉는 '갑'도시의 조사연도별 가구수 및 인구수에 에 관한 자료이다. 이에 대한 〈설명〉의 정오는?

〈표〉 '갑'도시 조사연도별 가구수 및 인구수

(단위: 호수, 명)

조사연도	가구수	인구수
1960년	8,640	94,670
1980년	24,550	204,850
2000년	58,720	368,210
2020년	74,240	448,630

〈표〉 '갑'도시의 조사연도별 가구 구성비

(단위: %)

가구 구성	1960년	1980년	2000년	2020년
4인 이상 가구	52	36	18	10
3인 가구	24	35	24	12
2인 가구	16	16	38	54
1인 가구	8	13	20	24

설명

1. 3인 가구수는 1980년이 2020년보다 많다.

(O, X)

2. 1인 가구수는 2020년이 2000년에 비해 1.5배 이상이다.

(O, X)

✓ 자료

✓ 설명

▸ 목적 파트는?

▸ 정보 파트는?

▸ 정오 파트는?

방향성 제시

1) 배수테크닉을 이용해보는 것은 어떨까?

2) 배수테크닉을 하나만 적용해보면 어떨까?

간단 해설

각 연도별 가구수는 다음과 같다.

항목 \ 연도	1960년	1980년	2000년	2020년
4인 이상 가구	4492.8	8838	10569.6	7424
3인 가구	2073.6	8592.5	14092.8	8908.8
2인 가구	1382.4	3928	22313.6	40089.6
1인 가구	691.2	3191.5	11744	17817.6

1. (X) 3인 가구수는 1980년이 2020년보다 적다.
2. (O) 1인 가구수는 2020년 2000년에 비해 1.5배 이상 많다.

답 (X, O)

드릴-20 (곱셈 비교)

다음 〈표〉는 브랜드별 수분크림의 보습력과 유지력에 관한 자료이다. 보습 성능이 높은 브랜드를 순서대로 나열하면?

〈표〉 브랜드별 수분크림 성능표

브랜드	수분함유량(g)	흡수율(%)	유분 함유량(%)
가	300	50.0	6.66
나	270	66.6	8.33
다	250	80.0	10.0
라	550	40.0	12.5

보습성능

- 화장품의 보습성능 = 수분함유량 × 흡수율 × 유지시간
- 화장품 유지 시간(분) = $\frac{1}{\text{유분 함유량}}$

① 가-나-다-라
② 나-가-다-라
③ 가-나-라-다
④ 나-가-라-다

자료

설명

▸ 목적 파트는?

▸ 정보 파트는?

▸ 정오 파트는?

방향성 제시

합차 테크닉을 이용해보는 것은 어떨까?

간단 해설

브랜드별 보습성능은 다음과 같다.

가	나	다	라
2272	2158	2000	1920

가 〉 나 〉 다 〉 라 순이므로 정답은 ①번이다.

답 ①

드릴-21 (분수 비교)

다음 〈표〉는 지역별 경찰관과 인구수 현황에 대한 자료이다. 이에 대한 〈설명〉의 정오는?

〈표〉 지역별 경찰관과 인구수 현황

지역명	경찰관 수 (명)	인구수 (천명)
서울특별시	27,184	9,765
부산광역시	8,816	3,441
대구광역시	5,531	2,461
인천광역시	6,353	2,954
광주광역시	3,320	1,459
대전광역시	3,075	1,489
울산광역시	2,458	1,155
경기도남부	15,884	9,677
경기도북부	5,961	3,399
강원도	4,231	1,543
충청북도	3,529	1,599
충청남도	4,871	2,440
전라북도	4,819	1,836
전라남도	6,042	1,882
경상북도	6,390	2,676
경상남도	6,774	3,373
제주특별자치도	1,699	667

설명

1. 경찰 1인당 담당인구가 가장 작은 지역은 전라남도이다.
(O, X)

2. 인천의 경찰 1인당 담당인구는 450명 이상이다.
(O, X)

자료

설명

▸ 목적 파트는?

▸ 정보 파트는?

▸ 정오 파트는?

방향성 제시

플마 찢기를 사용해보는 것은 어떨까?

간단 해설

1. (O) 전라남도의 경찰 1인당 담당인구: $\frac{1882}{6042}$ ≒ 30% 초반이다.
다른 지역 중에 30% 초반인 지역이 없으므로, 옳다.

2. (O) 인천의 경찰 1인당 담당인구: $\frac{2954}{6353}$ = 45%↑이다.
인구의 단위가 천명이므로, 45%×1000 = 450명이므로, 인천의 경찰 1인당 담당인구는 450명 이상이다.

답 (O, O)

드릴-22 (분수 비교)

다음 〈표〉는 '갑'국의 국가직 7급(행정) 지원인원 및 선발인원에 관한 자료이다. 이에 대한 〈설명〉의 정오는?

〈표〉 국가직 7급 (행정) 지원인원 및 선발인원

(단위: 명)

직렬	지원인원	선발인원
일반행정	13,073	153
우정사업본부	772	27
고용노동	1100	108
인사조직	2178	5
교육행정	689	3
회계	68	2
선거행정	1063	9
세무	3681	76
관세	686	7
통계	295	11
감사	1003	26
교정	922	30
검찰	1434	10
출입국관리	941	18

※ 경쟁률 = $\frac{\text{지원인원}}{\text{선발인원}}$

설명

1. 경쟁률은 세무가 출입국관리보다 높다. (O, X)

2. 경쟁률은 선거행정이 고용노동의 10배 이상이다. (O, X)

자료

설명

▸ 목적 파트는?

▸ 정보 파트는?

▸ 정오 파트는?

방향성 제시

1) 우리가 훈련한 예쁜 숫자로 보았는가?

2) 배수 테크닉을 하나만 적용해보는건 어떨까?

간단 해설

1. (O) 세무: $\frac{3681}{76} \fallingdotseq 48$, 출입국 관리: $\frac{941}{18} \fallingdotseq 52$

2. (O) 선거행정: $\frac{1063}{9} \fallingdotseq 118$ 고용노동: $\frac{1100}{108} \fallingdotseq 10.2$ → 10배 이상이다.

답 (O, O)

드릴-23 (분수 비교)

다음 〈표〉는 2022년 차종별 교통사고 현황에 관한 자료이다. 이에 대한 〈설명〉의 정오는?

〈표〉 차종별 교통사고 현황

(단위: 건, 명)

차종	사고건수	사망자수	부상자수
승용차	121,592	586	227,473
승합차	14,883	63	30,612
화물차	40,956	281	76,375
특수차	1,802	14	3,573
이륜차	10,571	123	28,401
합계	189,804	1,067	366,434

※ 사망률 (%)= $\frac{\text{사망자수}}{\text{사고건수}} \times 100$

설명

1. 사망률이 가장 낮은 차종은 승합차이다.

(O, X)

2. 사망자 대비 부상자 비율이 가장 낮은 차종은 승합차이다.

(O, X)

자료

설명

▸ 목적 파트는?

▸ 정보 파트는?

▸ 정오 파트는?

방향성 제시

우리가 훈련한 예쁜 숫자로 보았는가?

간단 해설

1. (O) 승합차: $\frac{63}{14,883}$ ≒ 0.4% 초반대이다. 다른 차종은 모두 0.4% 후반대 이상이므로 가장 낮다.

2. (X) 사망자 대비 부상자 비율 = $\frac{\text{부상자}}{\text{사망자}}$

승합차: $\frac{76375}{281}$ = 300↓, 이륜차: $\frac{28401}{123}$ = 250↓이므로, 승합차가 가장 낮지 않다.

답 (O, X)

드릴-24 (분수 비교)

다음 〈표〉는 연도별 불법 대부업 단속 현황에 관한 자료이다. 이에 대한 〈설명〉의 정오는?

〈표〉 연도별 불법 대부업 단속 현황

(단위: 건)

구분	15년	16년	17년	18년	19년
불법 대부업 검거건수	781	808	1,060	1,306	1,308
불법 대부업 검거인원	1,677	1,754	2,119	2,462	2,583
불법 대부업 구속인원	30	38	55	66	78

※ 구속률(%) = $\frac{\text{구속인원}}{\text{검거인원}} \times 100$

설명

1. 불법 대부업의 구속률은 매년 증가한다. (O, X)

2. 불법 대부업의 검거건수 대비 구속인원수는 매년 증가한다. (O, X)

자료

설명

▸ 목적 파트는?

▸ 정보 파트는?

▸ 정오 파트는?

방향성 제시

모든 연도를 다 계산해야할까?

간단 해설

1. (O) 연도별 불법 대부업의 구속률은 다음과 같다.

15년	16년	17년	18년	19년
1.79	2.17	2.60	2.68	3.02

따라서, 매년 증가했다.

2. (X) 검거건수 대비 구속인원 = $\frac{\text{구속인원}}{\text{검거건수}}$

15년	16년	17년	18년	19년
0.038	0.047	0.052	0.051	0.060

2018년은 2017년에 비해 감소하였다.

답 (O, X)

드릴-25 (분수 비교)

다음 〈표〉는 A기업의 연도별 특수차량 판매 현황에 관한 자료이다. 이에 대한 〈설명〉의 정오는?

〈표〉 A기업의 연도별 특수차량 판매현황

(단위: 천대)

연도	트럭			버스			특장차		
	계	내수	수출	계	내수	수출	계	내수	수출
19	224	170	54	101	67	34	186	181	5
18	241	170	71	102	66	36	185	182	3
17	264	196	68	101	62	39	189	183	6
16	246	173	73	105	63	42	195	190	5
15	270	175	95	125	67	58	197	188	9

설명

1. 트럭 판매량에서 내수의 비중은 19년이 17년보다 높다. (O, X)
2. 특장차 판매량에서 내수의 비중은 17년이 18년보다 높다. (O, X)
3. 19년도 A기업 판매량에서 내수의 비중은 전년대비 증가했다. (O, X)

자료

설명

▸ 목적 파트는?

▸ 정보 파트는?

▸ 정오 파트는?

방향성 제시

1) 뺄셈 테크닉을 이용해보는건 어떨까?
2) 여집합적 사고를 생각해보는건 어떨까?
3) 실제로 더해야만 할까?

간단 해설

연도별 특수차량 판매 비중은 다음과 같다.

연도	트럭		버스		특장차	
	내수	수출	내수	수출	내수	수출
2019	75.9	24.1	66.3	33.7	97.8	2.2
2018	73.6	30.7	64.7	35.3	97.3	2.7
2017	74.2	25.8	61.4	38.6	96.8	3.2
2016	70.3	29.7	60.0	40.0	97.4	2.6
2015	64.8	35.2	53.6	46.4	95.4	4.6

1. (O) 19년이 17년보다 높다.
2. (X) 17년(96.8)이 18년(97.4)보다 낮다.
3. (O) 19년도 내수 비중: $\frac{170+67+181}{224+101+186}$ = 81.8%, 18년도 내수 비중: $\frac{170+66+182}{231+102+185}$ = 80.7%

답 (O, X, O)

드릴-26 (분수 비교)

다음 〈표〉는 '갑'국의 연도별 다문화 학생 현황에 관한 자료이다. 이에 대한 〈설명〉의 정오는?

〈표〉 '갑'국의 연도별 다문화 학생 현황

(단위: 명)

연도	전체 학생	국제결혼		외국인 가정
		국내출생	중도입국	
2015	82,536	68,099	6,261	8,176
2016	98,186	79,134	7,418	11,634
2017	109,387	89,314	7,792	12,281
2018	122,212	98,263	8,320	15,629
2019	137,225	108,069	8,697	20,459

※ 다문화 학생은 국내출생, 중도입국, 외국인 가정뿐임.

설명

1. 2019년 외국인 가정 학생이 차지하는 비중은 15% 이상이다.
(O, X)

2. 전체 학생에서 국제 결혼의 비중은 매년 감소하였다.
(O, X)

3. 국제결혼에서 국내출생 비중이 가장 큰 연도는 2019년이다.
(O, X)

자료

설명

▸ 목적 파트는?

▸ 정보 파트는?

▸ 정오 파트는?

방향성 제시

1) 플마 찢기를 이용해보는건 어떨까?
2) 여집합적 사고를 생각해보는건 어떨까?
3) 뺄셈 테크닉을 이용해보는건 어떨까?

간단 해설

연도별 학생비중은 다음과 같다.

항목 \ 연도	국내출생	중도입국	외국인 가정
2015	82.51	7.59	9.91
2016	80.60	7.56	11.85
2017	81.65	7.12	11.23
2018	80.40	6.81	12.79
2019	78.75	6.34	14.91

1. (X) 19년 외국인 가정 학생이 차지하는 비중은 14.91%로 15% 이하이다.
2. (X) 국내출생 + 중도입국의 비중의 합은 2017년에 전년에 비해 감소하였다.
3. (O) 2019년 국제결혼에서 국내출생의 비중은 $\frac{108069}{108069+8697}$ ≒ 92.6%으로 가장 높다.

답 (X, X, O)

드릴-27 (분수 비교)

다음 〈표〉는 2015년 분기별 고릴라 게임 홍보에 대한 자료이다. 이에 대한 〈설명〉의 정오는?

〈표〉 2015년 분기별 고릴라 게임 홍보

(단위: 백만원, 명)

구분	1분기	2분기	3분기	4분기
홍보비	1,490	1,640	1,605	1,872
매출액	7,024	7,724	7,369	9,564
유입인원	4,886	5,125	5,090	5,758
과금인원	1,842	2,015	1,981	2,341

설명

1. 홍보비 대비 매출액은 1분기가 2분기보다 작다
(O, X)
2. 홍보비 대비 유입인원은 3분기보다 2분기가 크다.
(O, X)
3. 과금인원 대비 매출액은 매 분기 350만원 이상이다.
(O, X)

✓ 자료

✓ 설명

▸ 목적 파트는?

▸ 정보 파트는?

▸ 정오 파트는?

방향성 제시

1) 배수 테크닉을 이용해보는건 어떨까?
2) 기울기 테크닉을 이용해보는건 어떨까?
3) 플마 찢기를 이용해보는건 어떨까?

간단 해설

연도별 학생비중은 다음과 같다.

	1분기	2분기	3분기	4분기
매출액/홍보비	4.714	4.710	4.591	5.109
유입인원/홍보비	3.279	3.125	3.171	3.076
매출액/과금인원	3.813	3.833	3.720	4.085

1. (X) 1분기가 2분기보다 크다.
2. (X) 3분기가 2분기보다 크다.
3. (O) 매분기 매출액/과금인원은 3.5(백만원) 이상이다.

답 (X, X, O)

드릴-28 (분수 비교)

다음 〈표〉는 연도별 릴라섬 관광인원 현황에 대한 자료이다. 이에 대한 〈설명〉의 정오는?

〈표〉 연도별 릴라섬 관광 인원 현황

(단위: 명)

국가		2011년	2010년	2009년	2008년
합계		807,000	638,354	541,516	501,274
아시아	일본	187,790	173,168	177,459	164,240
	중국	406,164	288,414	174,902	156,678
	기타	163,085	104,792	133,173	131,388
	소계	757,039	566,374	485,534	452,306
서양	미국	19,895	29,712	24,349	25,478
	기타	30,066	42,268	31,633	23,490
	소계	49,961	71,980	55,982	48,968

※ 릴라 섬에 오는 관광객은 오직 아시아와 서양뿐임.

설명

1. 2011년 릴라 섬 아시아 관광객 중 중국의 비율은 작년에 비해 증가하였다. (O, X)

2. 2010년 릴라 섬 서양 관광객 중 미국의 비중은 작년에 비해 증가하였다. (O, X)

3. 2009년 릴라 섬 전체 관광객 중 아시아의 비중은 작년에 비해 증가하였다. (O, X)

자료

설명

▸ 목적 파트는?

▸ 정보 파트는?

▸ 정오 파트는?

방향성 제시

2) 뺄셈 테크닉을 이용해보는건 어떨까?

3) 여집합적 사고를 이용해보는건 어떨까?

간단 해설

1. (O) 아시아 중 중국의 비중 = $\frac{중국}{아시아}$

11년: $\frac{406}{757}$ = 53.6%, 10년: $\frac{288}{566}$ = 50% 작년에 비해 증가했다.

2. (X) 서양 중 미국의 비중 = $\frac{미국}{서양}$

10년: $\frac{297}{719}$ = 41.3%, 09년: $\frac{243}{559}$ = 43.4%, 작년에 비해 감소하였다.

3. (X) 전체 관광객 중 아시아의 비중 = $\frac{아시아}{전체}$

09년: $\frac{485}{541}$ = 89.6%, 08년: $\frac{452}{501}$ = 90.2%, 작년에 비해 감소하였다.

답 (O, X, X)

드릴-29 (분수 비교)

다음 〈표〉는 지역별 특성화고 졸업자 현황 관한 자료이다. 이에 대한 〈설명〉의 정오는?

〈표〉 지역별 특성화고 졸업자 현황

(단위: 명)

지역	졸업자	취업자	대학 진학자	미취업자
A지역	14,761	4,881	5,104	4,776
B지역	6,421	1,437	3,241	1,743
C지역	3,612	1,250	1,750	612
D지역	5,708	1,612	2,252	1,844
E지역	18,502	4,812	8,195	5,495
F지역	4,843	1,852	2,145	846

※ 1) 졸업자 = 취업자 + 대학진학자 + 미취업자

2) 취업률(%) = $\frac{\text{취업자}}{\text{미취업자} + \text{취업자}} \times 100$

설명

1. 특성화고 졸업자 중 대학 진학자의 비중은 D지역이 A지역 보다 크다. (O, X)

2. 특성화고 취업률은 모든 지역에서 75% 이하이다. (O, X)

3. 특성화고 졸업자중 미취업자의 비중은 모든 지역에서 15% 이상이다. (O, X)

✓ 자료

✓ 설명

▸ 목적 파트는?

▸ 정보 파트는?

▸ 정오 파트는?

방향성 제시

2) 뺄셈 테크닉을 적용해보는건 어떨까?

3) 플마찢기를 이용해보면 어떨까?

간단 해설

연도별 학생들의 비중은 다음과 같다.

	대학진학자 비중	미취업자 비중	취업률
A지역	34.6	32.4	51.7
B지역	50.5	27.1	65.0
C지역	48.4	16.9	74.1
D지역	39.5	32.3	55.0
E지역	44.3	29.7	59.9
F지역	44.3	17.5	71.7

1. (O) D지역(39.5%)이 A지역(34.6%)보다 크다.
2. (O) 모든 지역이 75% 이하이다.
   (※ 75%라면 뺄셈 테크닉을 적용하면 몇 배일까?)
3. (O) 모든 지역은 15% 이상이다.
   (※ 플마 찢기를 이용해서 보자.)

답 (O, O, O)

드릴-30 (분수 비교)

다음 〈표〉는 연도별 해외 박사 진학인원에 관한 자료이다. 이에 대한 〈설명〉의 정오는?

〈표〉 연도별 해외 박사 진학인원

(단위: 명)

전공		2011	2012	2013	2014
인문사회		746	896	994	1,145
이과	공학	377	439	448	432
	자연	320	310	287	305
	의학	99	123	132	134
	소계	796	872	867	871
예체능		106	122	201	249
합계		1,648	1,890	2,062	2,265

설명

1. 2013년 인문사회가 전체에서 차지하는 비중은 작년에 비해 감소하였다. (O, X)
2. 이과에서 의학 비중이 가장 높은 해의 비중은 15% 이상이다. (O, X)
3. 13년 예체능이 전체에서 차지하는 비중은 11년 의학이 전체에서 차지하는 비중의 1.5배 이상이다. (O, X)

✔ 자료

✔ 설명

▸ 목적 파트는?

▸ 정보 파트는?

▸ 정오 파트는?

방향성 제시

2) 가장 큰 지역을 찾아야할까?

3) 배수테크닉을 하나만 적용해보는 것은 어떨까?

간단 해설

1. (X) 인문사회가 전체에서 차지하는 비중

   13년: $\frac{994}{2062}$ = 48.2%, 12년: $\frac{896}{1890}$ = 47.4%, 작년에 비해 증가하였다.

2. (O) 이과에서 의학이 차지하는 비중은 다음과 같다.

2011	2012	2013	2014
12.44	14.11	15.22	15.38

   14년이 가장 크고, 15% 이상이다.

3. (O) 13년 예체능이 전체에서 차지하는 비중: $\frac{201}{2062}$ = 9.74%

   11년 의학이 전체에서 차지하는 비중: $\frac{99}{1648}$ = 6.00%

   1.5배 이상이다.

답 (X, O, O)

자료통역사의
통하는 자료해석

②권 풀이편 (PART Ⅰ) 관점 익히기

Part I 용
계산연습

계산연습 1-01 (플마 찢기)

■ 문제지 (플마 찢기를 통해서 대소를 비교하세요.)

번호	분수		기준	번호	분수		기준	번호	분수		기준	번호	분수		기준
01)	$\frac{4239}{9012}$	○	45%	16)	$\frac{3933}{4346}$	○	90%	31)	$\frac{4347}{5130}$	○	85%	46)	$\frac{4099}{6332}$	○	65%
02)	$\frac{4834}{5387}$	○	90%	17)	$\frac{5742}{6291}$	○	90%	32)	$\frac{3123}{4054}$	○	75%	47)	$\frac{636}{2420}$	○	25%
03)	$\frac{1375}{2411}$	○	55%	18)	$\frac{790}{1305}$	○	60%	33)	$\frac{2471}{3863}$	○	65%	48)	$\frac{7307}{8624}$	○	85%
04)	$\frac{2682}{3723}$	○	70%	19)	$\frac{3039}{8205}$	○	35%	34)	$\frac{3450}{5206}$	○	65%	49)	$\frac{941}{1246}$	○	75%
05)	$\frac{1944}{2900}$	○	65%	20)	$\frac{2698}{6138}$	○	45%	35)	$\frac{1742}{4908}$	○	35%	50)	$\frac{1273}{6714}$	○	20%
06)	$\frac{345}{3060}$	○	10%	21)	$\frac{3616}{5020}$	○	70%	36)	$\frac{3952}{4442}$	○	90%	51)	$\frac{1679}{4629}$	○	35%
07)	$\frac{1120}{4144}$	○	25%	22)	$\frac{6501}{6807}$	○	95%	37)	$\frac{536}{5983}$	○	10%	52)	$\frac{1862}{4025}$	○	45%
08)	$\frac{1848}{5320}$	○	35%	23)	$\frac{6368}{8935}$	○	70%	38)	$\frac{678}{5630}$	○	10%	53)	$\frac{1259}{2994}$	○	40%
09)	$\frac{2521}{4918}$	○	50%	24)	$\frac{3270}{8394}$	○	40%	39)	$\frac{2247}{2946}$	○	75%	54)	$\frac{2877}{5331}$	○	55%
10)	$\frac{5045}{8965}$	○	55%	25)	$\frac{3059}{4051}$	○	75%	40)	$\frac{2110}{2246}$	○	95%	55)	$\frac{3222}{3347}$	○	95%
11)	$\frac{764}{1377}$	○	55%	26)	$\frac{765}{1341}$	○	55%	41)	$\frac{6538}{9866}$	○	65%	56)	$\frac{1788}{9430}$	○	20%
12)	$\frac{3323}{3735}$	○	90%	27)	$\frac{1382}{6741}$	○	20%	42)	$\frac{860}{8187}$	○	10%	57)	$\frac{2440}{2854}$	○	85%
13)	$\frac{1954}{3520}$	○	55%	28)	$\frac{5946}{6515}$	○	90%	43)	$\frac{2965}{3055}$	○	95%	58)	$\frac{873}{4606}$	○	20%
14)	$\frac{6630}{8872}$	○	75%	29)	$\frac{805}{1800}$	○	45%	44)	$\frac{3575}{3884}$	○	90%	59)	$\frac{2715}{4488}$	○	60%
15)	$\frac{1443}{2355}$	○	60%	30)	$\frac{3674}{7940}$	○	45%	45)	$\frac{3954}{5608}$	○	70%	60)	$\frac{2714}{3632}$	○	75%

■ 답안지

번호	답	번호	답	번호	답	번호	답
01)	47.04%	16)	90.50%	31)	84.73%	46)	64.73%
02)	89.73%	17)	91.27%	32)	77.04%	47)	26.27%
03)	57.04%	18)	60.50%	33)	63.96%	48)	84.73%
04)	72.04%	19)	37.04%	34)	66.27%	49)	75.50%
05)	67.04%	20)	43.96%	35)	35.50%	50)	18.96%
06)	11.27%	21)	72.04%	36)	88.96%	51)	36.27%
07)	27.04%	22)	95.50%	37)	8.96%	52)	46.27%
08)	34.73%	23)	71.27%	38)	12.04%	53)	42.04%
09)	51.27%	24)	38.96%	39)	76.27%	54)	53.96%
10)	56.27%	25)	75.50%	40)	93.96%	55)	96.27%
11)	55.50%	26)	57.04%	41)	66.27%	56)	18.96%
12)	88.96%	27)	20.50%	42)	10.50%	57)	85.50%
13)	55.50%	28)	91.27%	43)	97.04%	58)	18.96%
14)	74.73%	29)	44.73%	44)	92.04%	59)	60.50%
15)	61.27%	30)	46.27%	45)	70.50%	60)	74.73%

계산연습 1-01 (분수값 읽기)

■ 문제지

[※ 심심하시면, 분모의 영향을 이용하여 정밀한 분수값도 확인해보세요. 단, 여러분의 멘탈을 책임지지 않습니다.]

문제지	어림셈	정밀셈	문제지	어림셈	정밀셈
01) $\frac{1613}{2002}$ =			16) $\frac{796}{3920}$ =		
02) $\frac{822}{5654}$ =			17) $\frac{6676}{8099}$ =		
03) $\frac{1548}{2529}$ =			18) $\frac{1799}{5994}$ =		
04) $\frac{3613}{4105}$ =			19) $\frac{953}{2881}$ =		
05) $\frac{4683}{4957}$ =			20) $\frac{1636}{7900}$ =		
06) $\frac{1414}{4933}$ =			21) $\frac{6902}{7268}$ =		
07) $\frac{3607}{8812}$ =			22) $\frac{1811}{3812}$ =		
08) $\frac{1904}{8846}$ =			23) $\frac{2575}{7028}$ =		
09) $\frac{1643}{6121}$ =			24) $\frac{1508}{6241}$ =		
10) $\frac{7483}{8376}$ =			25) $\frac{1308}{9778}$ =		
11) $\frac{3650}{9277}$ =			26) $\frac{819}{3172}$ =		
12) $\frac{1938}{8890}$ =			27) $\frac{9067}{9816}$ =		
13) $\frac{4891}{8534}$ =			28) $\frac{1510}{2953}$ =		
14) $\frac{7831}{8892}$ =			29) $\frac{6123}{8995}$ =		
15) $\frac{4164}{9609}$ =			30) $\frac{5832}{8762}$ =		

■ 답안지

01)	80.55%	11)	39.34%	21)	94.97%
02)	14.54%	12)	21.80%	22)	47.50%
03)	61.20%	13)	57.31%	23)	36.64%
04)	88.02%	14)	88.07%	24)	24.17%
05)	94.48%	15)	43.33%	25)	13.38%
06)	28.67%	16)	20.31%	26)	25.82%
07)	40.93%	17)	82.43%	27)	92.37%
08)	21.52%	18)	30.02%	28)	51.15%
09)	26.85%	19)	33.09%	29)	68.07%
10)	89.34%	20)	20.71%	30)	66.56%

계산연습 1-01 (정보 찾기 연습)

■ 문제지 〈표〉의 값을 이용하여 〈설명〉을 해결하시오. (최대한 머리를 통해 해결)

〈표〉 계산연습 문제

	A	B	C	D	E
갑	1026	934	898	1091	1166
을	1186	1138	1152	996	1064
병	1216	1045	1006	1171	1135
정	333	336	391	475	508
전체	3981	4139	4314	4506	4726

※ 전체는 갑~무의 합이 아님.

설명

1. 갑의 비중이 가장 큰 알파벳과 가장 낮은 알파벳은?
2. 을의 비중이 가장 큰 알파벳과 가장 낮은 알파벳은?
3. 병의 비중이 가장 큰 알파벳과 가장 낮은 알파벳은?
4. 정의 비중이 가장 큰 알파벳과 가장 낮은 알파벳은?

〈표〉 계산연습 문제

	A	B	C	D	E
전체	8800	9068	9485	9943	10344
갑	4164	3541	4306	3739	3217
을	4968	5964	5761	5579	5358
병	1892	1609	1715	1661	2010
정	3453	3455	3682	4486	3860

※ 전체는 갑~무의 합이 아님.

설명

1. 갑의 비중이 가장 큰 알파벳과 가장 낮은 알파벳은?
2. 을의 비중이 가장 큰 알파벳과 가장 낮은 알파벳은?
3. 병의 비중이 가장 큰 알파벳과 가장 낮은 알파벳은?
4. 정의 비중이 가장 큰 알파벳과 가장 낮은 알파벳은?

■ 답안지

〈표〉 전체 대비 갑~정의 답안

	A	B	C	D	E
갑/전체	25.78%	22.56%	20.82%	24.21%	24.68%
을/전체	29.78%	27.49%	26.70%	22.10%	22.52%
병/전체	30.54%	25.25%	23.31%	25.99%	24.01%
정/전체	8.37%	8.13%	9.06%	10.54%	10.74%

〈표〉 전체 대비 갑~정의 답안

	A	B	C	D	E
갑/전체	47.32%	39.05%	45.40%	37.61%	31.10%
을/전체	56.46%	65.78%	60.74%	56.11%	51.79%
병/전체	21.50%	17.74%	18.08%	16.70%	19.43%
정/전체	39.24%	38.10%	38.83%	45.12%	37.32%

계산연습 1-01 (정보 찾기 연습)

■ 문제지 〈표〉의 값을 이용하여 〈설명〉을 해결하시오.

〈표〉 계산연습 문제

	갑	을	병	정	전체
A	7040	3806	1317	1399	8521
B	5994	3241	1122	1611	8789
C	4819	3416	1126	1295	9087
D	5860	2787	919	1510	9505
E	5091	2979	982	1539	9969

※ 전체는 갑~무의 합이 아님.

설명

1. 갑의 비중이 가장 큰 알파벳과 가장 낮은 알파벳은?

2. 을의 비중이 가장 큰 알파벳과 가장 낮은 알파벳은?

3. 병의 비중이 가장 큰 알파벳과 가장 낮은 알파벳은?

4. 정의 비중이 가장 큰 알파벳과 가장 낮은 알파벳은?

〈표〉 계산연습 문제

	전체	갑	을	병	정
A	7714	3321	1797	6399	4262
B	8038	3693	1639	6156	4526
C	8350	4279	1818	5594	4340
D	8620	4717	2094	4768	4567
E	9025	5033	2130	5564	4873

※ 전체는 갑~무의 합이 아님.

설명

1. 갑의 비중이 가장 큰 알파벳과 가장 낮은 알파벳은?

2. 을의 비중이 가장 큰 알파벳과 가장 낮은 알파벳은?

3. 병의 비중이 가장 큰 알파벳과 가장 낮은 알파벳은?

4. 정의 비중이 가장 큰 알파벳과 가장 낮은 알파벳은?

■ 답안지

〈표〉 전체 대비 갑~정의 답안

	갑/전체	을/전체	병/전체	정/전체
A	82.62%	44.67%	15.46%	16.42%
B	68.20%	36.87%	12.76%	18.33%
C	53.03%	37.59%	12.39%	14.25%
D	61.65%	29.32%	9.67%	15.89%
E	51.07%	29.88%	9.85%	15.43%

〈표〉 전체 대비 갑~정의 답안

	갑/전체	을/전체	병/전체	정/전체
A	43.05%	23.30%	82.95%	55.25%
B	45.94%	20.39%	76.58%	56.31%
C	51.25%	21.77%	67.00%	51.97%
D	54.72%	24.30%	55.32%	52.98%
E	55.77%	23.60%	61.66%	53.99%

계산연습 1-02 (플마 찢기)

■ 문제지 (플마 찢기를 통해서 대소를 비교하세요.)

01)	$\frac{693}{3143}$	○	20%	16)	$\frac{1005}{9573}$	○	10%	31)	$\frac{9055}{9482}$	○	95%	46)	$\frac{1772}{2223}$	○	80%
02)	$\frac{2179}{2449}$	○	90%	17)	$\frac{1273}{1669}$	○	75%	32)	$\frac{3115}{9723}$	○	30%	47)	$\frac{5023}{8410}$	○	60%
03)	$\frac{6535}{9477}$	○	70%	18)	$\frac{2893}{9730}$	○	30%	33)	$\frac{773}{8626}$	○	10%	48)	$\frac{4035}{6019}$	○	65%
04)	$\frac{2199}{4225}$	○	50%	19)	$\frac{5875}{9711}$	○	60%	34)	$\frac{4858}{7505}$	○	65%	49)	$\frac{3012}{9876}$	○	30%
05)	$\frac{751}{3531}$	○	20%	20)	$\frac{3445}{6040}$	○	55%	35)	$\frac{7043}{7496}$	○	95%	50)	$\frac{1653}{1827}$	○	90%
06)	$\frac{940}{7806}$	○	10%	21)	$\frac{3903}{4313}$	○	90%	36)	$\frac{154}{1585}$	○	10%	51)	$\frac{2157}{6898}$	○	30%
07)	$\frac{1183}{6944}$	○	15%	22)	$\frac{2811}{4996}$	○	55%	37)	$\frac{3792}{9364}$	○	40%	52)	$\frac{3951}{4862}$	○	80%
08)	$\frac{2853}{5564}$	○	50%	23)	$\frac{1333}{1498}$	○	90%	38)	$\frac{4950}{6426}$	○	75%	53)	$\frac{936}{3460}$	○	25%
09)	$\frac{3263}{7052}$	○	45%	24)	$\frac{323}{3608}$	○	10%	39)	$\frac{8185}{8435}$	○	95%	54)	$\frac{3448}{6213}$	○	55%
10)	$\frac{383}{1457}$	○	25%	25)	$\frac{3647}{4446}$	○	80%	40)	$\frac{2090}{5642}$	○	35%	55)	$\frac{864}{2832}$	○	30%
11)	$\frac{3552}{8606}$	○	40%	26)	$\frac{3983}{5942}$	○	65%	41)	$\frac{1916}{7749}$	○	25%	56)	$\frac{4742}{9535}$	○	50%
12)	$\frac{4663}{8519}$	○	55%	27)	$\frac{1467}{4321}$	○	35%	42)	$\frac{1819}{9220}$	○	20%	57)	$\frac{442}{2719}$	○	15%
13)	$\frac{2838}{4575}$	○	60%	28)	$\frac{755}{1900}$	○	40%	43)	$\frac{4217}{4977}$	○	85%	58)	$\frac{1166}{4314}$	○	25%
14)	$\frac{5923}{9043}$	○	65%	29)	$\frac{2339}{2541}$	○	90%	44)	$\frac{713}{1594}$	○	45%	59)	$\frac{1580}{7170}$	○	20%
15)	$\frac{644}{1561}$	○	40%	30)	$\frac{8345}{9381}$	○	90%	45)	$\frac{4769}{6190}$	○	75%	60)	$\frac{972}{1409}$	○	70%

■ 답안지

01)	22.04%	16)	10.50%	31)	95.50%	46)	79.73%
02)	88.96%	17)	76.27%	32)	32.04%	47)	59.73%
03)	68.96%	18)	29.73%	33)	8.96%	48)	67.04%
04)	52.04%	19)	60.50%	34)	64.73%	49)	30.50%
05)	21.27%	20)	57.04%	35)	93.96%	50)	90.50%
06)	12.04%	21)	90.50%	36)	9.73%	51)	31.27%
07)	17.04%	22)	56.27%	37)	40.50%	52)	81.27%
08)	51.27%	23)	88.96%	38)	77.04%	53)	27.04%
09)	46.27%	24)	8.96%	39)	97.04%	54)	55.50%
10)	26.27%	25)	82.04%	40)	37.04%	55)	30.50%
11)	41.27%	26)	67.04%	41)	24.73%	56)	49.73%
12)	54.73%	27)	33.96%	42)	19.73%	57)	16.27%
13)	62.04%	28)	39.73%	43)	84.73%	58)	27.04%
14)	65.50%	29)	92.04%	44)	44.73%	59)	22.04%
15)	41.27%	30)	88.96%	45)	77.04%	60)	68.96%

계산연습 1-02 (분수값 읽기)

■ 문제지

[※ 심심하시면, 분모의 영향을 이용하여 정밀한 분수값도 확인해보세요. 단, 여러분의 멘탈을 책임지지 않습니다.]

문제지	어림셈	정밀셈	문제지	어림셈	정밀셈
01) $\frac{1863}{7825}$ =			16) $\frac{3650}{9400}$ =		
02) $\frac{1856}{2896}$ =			17) $\frac{8864}{9993}$ =		
03) $\frac{3209}{4023}$ =			18) $\frac{6656}{8347}$ =		
04) $\frac{1007}{1183}$ =			19) $\frac{1444}{2118}$ =		
05) $\frac{2028}{6521}$ =			20) $\frac{7203}{8159}$ =		
06) $\frac{683}{1285}$ =			21) $\frac{4971}{7108}$ =		
07) $\frac{5936}{8412}$ =			22) $\frac{6816}{7557}$ =		
08) $\frac{3277}{8082}$ =			23) $\frac{1423}{4294}$ =		
09) $\frac{3825}{9020}$ =			24) $\frac{2546}{2673}$ =		
10) $\frac{4861}{8018}$ =			25) $\frac{412}{3301}$ =		
11) $\frac{857}{2002}$ =			26) $\frac{1242}{3026}$ =		
12) $\frac{622}{2730}$ =			27) $\frac{1743}{4975}$ =		
13) $\frac{3084}{9198}$ =			28) $\frac{5596}{6151}$ =		
14) $\frac{3155}{9817}$ =			29) $\frac{628}{1510}$ =		
15) $\frac{716}{3993}$ =			30) $\frac{4936}{9617}$ =		

■ 답안지

01)	23.81%	11)	42.80%	21)	69.94%
02)	64.09%	12)	22.79%	22)	90.19%
03)	79.77%	13)	33.53%	23)	33.14%
04)	85.09%	14)	32.14%	24)	95.24%
05)	31.10%	15)	17.92%	25)	12.49%
06)	53.14%	16)	38.83%	26)	41.03%
07)	70.57%	17)	88.70%	27)	35.04%
08)	40.55%	18)	79.74%	28)	90.98%
09)	42.41%	19)	68.17%	29)	41.62%
10)	60.62%	20)	88.28%	30)	51.33%

계산연습 1-02 (정보 찾기 연습)

■ 문제지 〈표〉의 값을 이용하여 〈설명〉을 해결하시오. (최대한 머리를 통해 해결)

〈표〉 계산연습 문제

	A	B	C	D	E
갑	4712	5437	4396	4848	5600
을	4562	5264	4256	3629	3648
병	4131	3321	3017	2875	2314
정	4357	4810	4370	4601	5544
전체	9885	10220	10614	10962	11346

※ 전체는 갑~무의 합이 아님.

설명

1. 갑의 비중이 가장 큰 알파벳과 가장 낮은 알파벳은?
2. 을의 비중이 가장 큰 알파벳과 가장 낮은 알파벳은?
3. 병의 비중이 가장 큰 알파벳과 가장 낮은 알파벳은?
4. 정의 비중이 가장 큰 알파벳과 가장 낮은 알파벳은?

〈표〉 계산연습 문제

	A	B	C	D	E
전체	8220	8546	8939	9311	9630
갑	2385	2409	2688	2988	2851
을	4774	4582	4426	3813	4401
병	5496	5824	5044	4850	5113
정	6648	7045	8567	8238	9096

※ 전체는 갑~무의 합이 아님.

설명

1. 갑의 비중이 가장 큰 알파벳과 가장 낮은 알파벳은?
2. 을의 비중이 가장 큰 알파벳과 가장 낮은 알파벳은?
3. 병의 비중이 가장 큰 알파벳과 가장 낮은 알파벳은?
4. 정의 비중이 가장 큰 알파벳과 가장 낮은 알파벳은?

■ 답안지

〈표〉 전체 대비 갑~정의 답안

	A	B	C	D	E
갑/전체	47.67%	53.20%	41.42%	44.23%	49.35%
을/전체	46.15%	51.51%	40.10%	33.11%	32.15%
병/전체	41.79%	32.49%	28.43%	26.22%	20.40%
정/전체	44.08%	47.06%	41.17%	41.97%	48.86%

〈표〉 전체 대비 갑~정의 답안

	A	B	C	D	E
갑/전체	29.02%	28.18%	30.07%	32.09%	29.61%
을/전체	58.08%	53.61%	49.51%	40.95%	45.71%
병/전체	66.86%	68.15%	56.42%	52.09%	53.09%
정/전체	80.88%	82.44%	95.83%	88.47%	94.46%

계산연습 1-02 (정보 찾기 연습)

■ 문제지 〈표〉의 값을 이용하여 〈설명〉을 해결하시오.

〈표〉 계산연습 문제

	갑	을	병	정	전체
A	1156	3570	1753	3665	4930
B	1274	3576	1668	2938	5086
C	1548	3810	1360	2689	5316
D	1639	4224	1576	2309	5522
E	1887	4654	1263	2429	5698

※ 전체는 갑~무의 합이 아님.

설명

1. 갑의 비중이 가장 큰 알파벳과 가장 낮은 알파벳은?
2. 을의 비중이 가장 큰 알파벳과 가장 낮은 알파벳은?
3. 병의 비중이 가장 큰 알파벳과 가장 낮은 알파벳은?
4. 정의 비중이 가장 큰 알파벳과 가장 낮은 알파벳은?

〈표〉 계산연습 문제

	전체	갑	을	병	정
A	1227	817	1013	1024	874
B	1284	830	1080	938	1063
C	1340	759	988	811	1025
D	1386	876	1189	855	1080
E	1435	881	1196	817	1086

※ 전체는 갑~무의 합이 아님.

설명

1. 갑의 비중이 가장 큰 알파벳과 가장 낮은 알파벳은?
2. 을의 비중이 가장 큰 알파벳과 가장 낮은 알파벳은?
3. 병의 비중이 가장 큰 알파벳과 가장 낮은 알파벳은?
4. 정의 비중이 가장 큰 알파벳과 가장 낮은 알파벳은?

■ 답안지

〈표〉 전체 대비 갑~정의 답안

	갑/전체	을/전체	병/전체	정/전체
A	23.45%	72.42%	35.55%	74.34%
B	25.04%	70.31%	32.79%	57.77%
C	29.11%	71.66%	25.58%	50.58%
D	29.67%	76.49%	28.53%	41.82%
E	33.13%	81.68%	22.17%	42.63%

〈표〉 전체 대비 갑~정의 답안

	갑/전체	을/전체	병/전체	정/전체
A	66.57%	82.57%	83.45%	71.24%
B	64.66%	84.15%	73.08%	82.81%
C	56.61%	73.67%	60.48%	76.47%
D	63.18%	85.78%	61.65%	77.95%
E	61.35%	83.30%	56.89%	75.69%

계산연습 1-03 (플마 찢기)

■ 문제지 (플마 찢기를 통해서 대소를 비교하세요.)

번호	분수		비율	번호	분수		비율	번호	분수		비율	번호	분수		비율
01)	$\frac{693}{3143}$	○	20%	16)	$\frac{1005}{9573}$	○	10%	31)	$\frac{9055}{9482}$	○	95%	46)	$\frac{1772}{2223}$	○	80%
02)	$\frac{2179}{2449}$	○	90%	17)	$\frac{1273}{1669}$	○	75%	32)	$\frac{3115}{9723}$	○	30%	47)	$\frac{5023}{8410}$	○	60%
03)	$\frac{6535}{9477}$	○	70%	18)	$\frac{2893}{9730}$	○	30%	33)	$\frac{773}{8626}$	○	10%	48)	$\frac{4035}{6019}$	○	65%
04)	$\frac{2199}{4225}$	○	50%	19)	$\frac{5875}{9711}$	○	60%	34)	$\frac{4858}{7505}$	○	65%	49)	$\frac{3012}{9876}$	○	30%
05)	$\frac{751}{3531}$	○	20%	20)	$\frac{3445}{6040}$	○	55%	35)	$\frac{7043}{7496}$	○	95%	50)	$\frac{1653}{1827}$	○	90%
06)	$\frac{940}{7806}$	○	10%	21)	$\frac{3903}{4313}$	○	90%	36)	$\frac{154}{1585}$	○	10%	51)	$\frac{2157}{6898}$	○	30%
07)	$\frac{1183}{6944}$	○	15%	22)	$\frac{2811}{4996}$	○	55%	37)	$\frac{3792}{9364}$	○	40%	52)	$\frac{3951}{4862}$	○	80%
08)	$\frac{2853}{5564}$	○	50%	23)	$\frac{1333}{1498}$	○	90%	38)	$\frac{4950}{6426}$	○	75%	53)	$\frac{936}{3460}$	○	25%
09)	$\frac{3263}{7052}$	○	45%	24)	$\frac{323}{3608}$	○	10%	39)	$\frac{8185}{8435}$	○	95%	54)	$\frac{3448}{6213}$	○	55%
10)	$\frac{383}{1457}$	○	25%	25)	$\frac{3647}{4446}$	○	80%	40)	$\frac{2090}{5642}$	○	35%	55)	$\frac{864}{2832}$	○	30%
11)	$\frac{3552}{8606}$	○	40%	26)	$\frac{3983}{5942}$	○	65%	41)	$\frac{1916}{7749}$	○	25%	56)	$\frac{4742}{9535}$	○	50%
12)	$\frac{4663}{8519}$	○	55%	27)	$\frac{1467}{4321}$	○	35%	42)	$\frac{1819}{9220}$	○	20%	57)	$\frac{442}{2719}$	○	15%
13)	$\frac{2838}{4575}$	○	60%	28)	$\frac{755}{1900}$	○	40%	43)	$\frac{4217}{4977}$	○	85%	58)	$\frac{1166}{4314}$	○	25%
14)	$\frac{5923}{9043}$	○	65%	29)	$\frac{2339}{2541}$	○	90%	44)	$\frac{713}{1594}$	○	45%	59)	$\frac{1580}{7170}$	○	20%
15)	$\frac{644}{1561}$	○	40%	30)	$\frac{8345}{9381}$	○	90%	45)	$\frac{4769}{6190}$	○	75%	60)	$\frac{972}{1409}$	○	70%

■ 답안지

번호	답	번호	답	번호	답	번호	답
01)	22.04%	16)	10.50%	31)	95.50%	46)	79.73%
02)	88.96%	17)	76.27%	32)	32.04%	47)	59.73%
03)	68.96%	18)	29.73%	33)	8.96%	48)	67.04%
04)	52.04%	19)	60.50%	34)	64.73%	49)	30.50%
05)	21.27%	20)	57.04%	35)	93.96%	50)	90.50%
06)	12.04%	21)	90.50%	36)	9.73%	51)	31.27%
07)	17.04%	22)	56.27%	37)	40.50%	52)	81.27%
08)	51.27%	23)	88.96%	38)	77.04%	53)	27.04%
09)	46.27%	24)	8.96%	39)	97.04%	54)	55.50%
10)	26.27%	25)	82.04%	40)	37.04%	55)	30.50%
11)	41.27%	26)	67.04%	41)	24.73%	56)	49.73%
12)	54.73%	27)	33.96%	42)	19.73%	57)	16.27%
13)	62.04%	28)	39.73%	43)	84.73%	58)	27.04%
14)	65.50%	29)	92.04%	44)	44.73%	59)	22.04%
15)	41.27%	30)	88.96%	45)	77.04%	60)	68.96%

계산연습 1-03 (분수값 읽기)

■ 문제지

[※ 심심하시면, 분모의 영향을 이용하여 정밀한 분수값도 확인 해보세요. 단, 여러분의 멘탈을 책임지지 않습니다.]

문제지	어림셈	정밀셈	문제지	어림셈	정밀셈
01) $\frac{2618}{8974}$ =			16) $\frac{3437}{8127}$ =		
02) $\frac{440}{2543}$ =			17) $\frac{1814}{3133}$ =		
03) $\frac{1128}{1422}$ =			18) $\frac{3807}{6515}$ =		
04) $\frac{1060}{9032}$ =			19) $\frac{3404}{7944}$ =		
05) $\frac{4729}{6679}$ =			20) $\frac{3719}{4124}$ =		
06) $\frac{2070}{4774}$ =			21) $\frac{6892}{7264}$ =		
07) $\frac{3329}{6873}$ =			22) $\frac{3001}{4891}$ =		
08) $\frac{556}{4759}$ =			23) $\frac{2750}{8468}$ =		
09) $\frac{6769}{7779}$ =			24) $\frac{4303}{5317}$ =		
10) $\frac{3024}{9275}$ =			25) $\frac{2974}{8338}$ =		
11) $\frac{2079}{2944}$ =			26) $\frac{2021}{2950}$ =		
12) $\frac{3754}{7463}$ =			27) $\frac{4423}{5791}$ =		
13) $\frac{1575}{1927}$ =			28) $\frac{2417}{5749}$ =		
14) $\frac{6591}{7552}$ =			29) $\frac{738}{6702}$ =		
15) $\frac{3630}{5219}$ =			30) $\frac{2150}{5687}$ =		

■ 답안지

01)	29.17%	11)	70.61%	21)	94.88%
02)	17.30%	12)	50.30%	22)	61.35%
03)	79.36%	13)	81.75%	23)	32.48%
04)	11.74%	14)	87.28%	24)	80.92%
05)	70.80%	15)	69.55%	25)	35.67%
06)	43.36%	16)	42.29%	26)	68.51%
07)	48.44%	17)	57.89%	27)	76.37%
08)	11.68%	18)	58.43%	28)	42.04%
09)	87.01%	19)	42.85%	29)	11.01%
10)	32.60%	20)	90.18%	30)	37.81%

계산연습 1-03 (정보 찾기 연습)

■ 문제지 〈표〉의 값을 이용하여 〈설명〉을 해결하시오. (최대한 머리를 통해 해결)

〈표〉 계산연습 문제

	A	B	C	D	E
갑	2409	2566	2480	2362	1935
을	3473	3698	3390	3398	2954
병	3723	4523	4146	3327	3890
정	5876	6844	7643	7280	5963
전체	8069	8430	8824	9111	9558

※ 전체는 갑~무의 합이 아님.

설명

1. 갑의 비중이 가장 큰 알파벳과 가장 낮은 알파벳은?
2. 을의 비중이 가장 큰 알파벳과 가장 낮은 알파벳은?
3. 병의 비중이 가장 큰 알파벳과 가장 낮은 알파벳은?
4. 정의 비중이 가장 큰 알파벳과 가장 낮은 알파벳은?

〈표〉 계산연습 문제

	A	B	C	D	E
전체	9248	9698	10115	10611	10930
갑	4249	3691	3739	3436	2749
을	2251	1955	2079	2222	1778
병	7768	6748	5486	5042	5547
정	2193	2124	2152	2408	2528

※ 전체는 갑~무의 합이 아님.

설명

1. 갑의 비중이 가장 큰 알파벳과 가장 낮은 알파벳은?
2. 을의 비중이 가장 큰 알파벳과 가장 낮은 알파벳은?
3. 병의 비중이 가장 큰 알파벳과 가장 낮은 알파벳은?
4. 정의 비중이 가장 큰 알파벳과 가장 낮은 알파벳은?

■ 답안지

〈표〉 전체 대비 갑~정의 답안

	A	B	C	D	E
갑/전체	29.86%	30.43%	28.11%	25.93%	20.24%
을/전체	43.04%	43.86%	38.42%	37.30%	30.90%
병/전체	46.14%	53.65%	46.98%	36.52%	40.70%
정/전체	72.82%	81.18%	86.61%	79.90%	62.38%

〈표〉 전체 대비 갑~정의 답안

	A	B	C	D	E
갑/전체	45.94%	38.05%	36.96%	32.38%	25.15%
을/전체	24.34%	20.16%	20.55%	20.94%	16.27%
병/전체	84.00%	69.58%	54.24%	47.52%	50.75%
정/전체	23.71%	21.90%	21.27%	22.69%	23.13%

계산연습 1-03 (정보 찾기 연습)

■ 문제지 〈표〉의 값을 이용하여 〈설명〉을 해결하시오.

〈표〉 계산연습 문제

	갑	을	병	정	전체
A	561	2398	791	1206	3817
B	456	1952	723	1163	3984
C	509	1984	879	1065	4169
D	586	2383	792	1013	4299
E	706	2869	954	1018	4446

※ 전체는 갑~무의 합이 아님.

설명

1. 갑의 비중이 가장 큰 알파벳과 가장 낮은 알파벳은?

2. 을의 비중이 가장 큰 알파벳과 가장 낮은 알파벳은?

3. 병의 비중이 가장 큰 알파벳과 가장 낮은 알파벳은?

4. 정의 비중이 가장 큰 알파벳과 가장 낮은 알파벳은?

〈표〉 계산연습 문제

	전체	갑	을	병	정
A	6315	3800	2924	383	1070
B	6530	3436	2936	308	968
C	6783	2779	2815	342	1025
D	7107	2272	2864	279	991
E	7377	2631	2601	296	900

※ 전체는 갑~무의 합이 아님.

설명

1. 갑의 비중이 가장 큰 알파벳과 가장 낮은 알파벳은?

2. 을의 비중이 가장 큰 알파벳과 가장 낮은 알파벳은?

3. 병의 비중이 가장 큰 알파벳과 가장 낮은 알파벳은?

4. 정의 비중이 가장 큰 알파벳과 가장 낮은 알파벳은?

■ 답안지

〈표〉 전체 대비 갑~정의 답안

	갑/전체	을/전체	병/전체	정/전체
A	14.69%	62.83%	20.72%	31.60%
B	11.45%	48.99%	18.14%	29.18%
C	12.22%	47.58%	21.09%	25.55%
D	13.64%	55.43%	18.43%	23.57%
E	15.88%	64.54%	21.46%	22.89%

〈표〉 전체 대비 갑~정의 답안

	갑/전체	을/전체	병/전체	정/전체
A	60.18%	46.30%	6.07%	16.95%
B	52.61%	44.96%	4.72%	14.82%
C	40.96%	41.49%	5.04%	15.10%
D	31.97%	40.31%	3.93%	13.95%
E	35.67%	35.26%	4.01%	12.20%

계산연습 1-04 (플마 찢기)

■ 문제지 (플마 찢기를 통해서 대소를 비교하세요.)

번호	분수		비율	번호	분수		비율	번호	분수		비율	번호	분수		비율
01)	$\frac{2434}{8188}$	○	30%	16)	$\frac{1033}{8578}$	○	10%	31)	$\frac{7204}{9124}$	○	80%	46)	$\frac{1316}{8088}$	○	15%
02)	$\frac{1271}{4276}$	○	30%	17)	$\frac{1063}{1408}$	○	75%	32)	$\frac{889}{9916}$	○	10%	47)	$\frac{1418}{4427}$	○	30%
03)	$\frac{687}{7664}$	○	10%	18)	$\frac{6468}{8745}$	○	75%	33)	$\frac{6698}{8401}$	○	80%	48)	$\frac{598}{4969}$	○	10%
04)	$\frac{702}{2754}$	○	25%	19)	$\frac{1700}{3674}$	○	45%	34)	$\frac{5687}{8683}$	○	65%	49)	$\frac{4867}{7519}$	○	65%
05)	$\frac{2328}{7446}$	○	30%	20)	$\frac{4352}{5824}$	○	75%	35)	$\frac{2348}{5586}$	○	40%	50)	$\frac{2855}{4094}$	○	70%
06)	$\frac{1606}{3280}$	○	50%	21)	$\frac{2632}{7258}$	○	35%	36)	$\frac{2859}{9615}$	○	30%	51)	$\frac{586}{1160}$	○	50%
07)	$\frac{941}{3084}$	○	30%	22)	$\frac{5521}{6457}$	○	85%	37)	$\frac{2840}{7148}$	○	40%	52)	$\frac{1442}{4729}$	○	30%
08)	$\frac{4849}{5119}$	○	95%	23)	$\frac{1383}{1961}$	○	70%	38)	$\frac{2651}{5827}$	○	45%	53)	$\frac{1622}{2614}$	○	60%
09)	$\frac{1690}{6628}$	○	25%	24)	$\frac{309}{2945}$	○	10%	39)	$\frac{2398}{7485}$	○	30%	54)	$\frac{736}{6117}$	○	10%
10)	$\frac{3057}{6148}$	○	50%	25)	$\frac{2863}{4152}$	○	70%	40)	$\frac{1180}{3870}$	○	30%	55)	$\frac{4591}{8822}$	○	50%
11)	$\frac{5585}{7005}$	○	80%	26)	$\frac{1555}{2018}$	○	75%	41)	$\frac{3048}{8776}$	○	35%	56)	$\frac{974}{3604}$	○	25%
12)	$\frac{3106}{4032}$	○	75%	27)	$\frac{4387}{5811}$	○	75%	42)	$\frac{5897}{7326}$	○	80%	57)	$\frac{6125}{9242}$	○	65%
13)	$\frac{3629}{8632}$	○	40%	28)	$\frac{4200}{4869}$	○	85%	43)	$\frac{322}{1630}$	○	20%	58)	$\frac{2515}{6454}$	○	40%
14)	$\frac{1793}{3002}$	○	60%	29)	$\frac{1065}{5614}$	○	20%	44)	$\frac{7332}{9022}$	○	80%	59)	$\frac{588}{4881}$	○	10%
15)	$\frac{2920}{6946}$	○	40%	30)	$\frac{2841}{7670}$	○	35%	45)	$\frac{1962}{4241}$	○	45%	60)	$\frac{3440}{8336}$	○	40%

■ 답안지

번호	답	번호	답	번호	답	번호	답
01)	29.73%	16)	12.04%	31)	78.96%	46)	16.27%
02)	29.73%	17)	75.50%	32)	8.96%	47)	32.04%
03)	8.96%	18)	73.96%	33)	79.73%	48)	12.04%
04)	25.50%	19)	46.27%	34)	65.50%	49)	64.73%
05)	31.27%	20)	74.73%	35)	42.04%	50)	69.73%
06)	48.96%	21)	36.27%	36)	29.73%	51)	50.50%
07)	30.50%	22)	85.50%	37)	39.73%	52)	30.50%
08)	94.73%	23)	70.50%	38)	45.50%	53)	62.04%
09)	25.50%	24)	10.50%	39)	32.04%	54)	12.04%
10)	49.73%	25)	68.96%	40)	30.50%	55)	52.04%
11)	79.73%	26)	77.04%	41)	34.73%	56)	27.04%
12)	77.04%	27)	75.50%	42)	80.50%	57)	66.27%
13)	42.04%	28)	86.27%	43)	19.73%	58)	38.96%
14)	59.73%	29)	18.96%	44)	81.27%	59)	12.04%
15)	42.04%	30)	37.04%	45)	46.27%	60)	41.27%

계산연습 1-04 (분수값 읽기)

■ 문제지

[※ 심심하시면, 분모의 영향을 이용하여 정밀한 분수값도 확인 해보세요. 단, 여러분의 멘탈을 책임지지 않습니다.]

문제지	어림셈	정밀셈	문제지	어림셈	정밀셈
01) $\frac{5745}{6389}$ =			16) $\frac{6747}{8463}$ =		
02) $\frac{5192}{5422}$ =			17) $\frac{2545}{3566}$ =		
03) $\frac{860}{1345}$ =			18) $\frac{1547}{5797}$ =		
04) $\frac{3486}{8320}$ =			19) $\frac{6918}{8032}$ =		
05) $\frac{2891}{4818}$ =			20) $\frac{3848}{4855}$ =		
06) $\frac{1481}{4922}$ =			21) $\frac{9300}{9502}$ =		
07) $\frac{6375}{9378}$ =			22) $\frac{2305}{3802}$ =		
08) $\frac{3934}{6658}$ =			23) $\frac{336}{1157}$ =		
09) $\frac{1835}{3945}$ =			24) $\frac{3964}{5907}$ =		
10) $\frac{3768}{3921}$ =			25) $\frac{1497}{7134}$ =		
11) $\frac{2521}{6572}$ =			26) $\frac{2795}{3100}$ =		
12) $\frac{7739}{9152}$ =			27) $\frac{4291}{5692}$ =		
13) $\frac{3281}{7081}$ =			28) $\frac{5356}{8223}$ =		
14) $\frac{1008}{1833}$ =			29) $\frac{6958}{7248}$ =		
15) $\frac{362}{3311}$ =			30) $\frac{4256}{4905}$ =		

■ 답안지

번호	답	번호	답	번호	답
01)	89.92%	11)	38.36%	21)	97.87%
02)	95.75%	12)	84.56%	22)	60.63%
03)	63.95%	13)	46.33%	23)	29.01%
04)	41.90%	14)	55.01%	24)	67.10%
05)	60.00%	15)	10.93%	25)	20.99%
06)	30.08%	16)	79.72%	26)	90.15%
07)	67.98%	17)	71.38%	27)	75.38%
08)	59.09%	18)	26.68%	28)	65.14%
09)	46.52%	19)	86.13%	29)	96.00%
10)	96.10%	20)	79.26%	30)	86.76%

계산연습 1-04 (정보 찾기 연습)

■ 문제지 〈표〉의 값을 이용하여 〈설명〉을 해결하시오. (최대한 머리를 통해 해결)

〈표〉 계산연습 문제

	A	B	C	D	E
갑	108	93	112	92	106
을	703	709	713	868	914
병	1242	1128	1079	1043	942
정	167	160	193	177	195
전체	1708	1773	1838	1924	1987

※ 전체는 갑~무의 합이 아님.

설명

1. 갑의 비중이 가장 큰 알파벳과 가장 낮은 알파벳은?
2. 을의 비중이 가장 큰 알파벳과 가장 낮은 알파벳은?
3. 병의 비중이 가장 큰 알파벳과 가장 낮은 알파벳은?
4. 정의 비중이 가장 큰 알파벳과 가장 낮은 알파벳은?

〈표〉 계산연습 문제

	A	B	C	D	E
전체	8832	9254	9537	9983	10387
갑	5170	5262	6318	6108	6172
을	1278	1237	1114	1300	1118
병	4301	5238	5241	4280	3683
정	5690	5506	6060	6768	6162

※ 전체는 갑~무의 합이 아님.

설명

1. 갑의 비중이 가장 큰 알파벳과 가장 낮은 알파벳은?
2. 을의 비중이 가장 큰 알파벳과 가장 낮은 알파벳은?
3. 병의 비중이 가장 큰 알파벳과 가장 낮은 알파벳은?
4. 정의 비중이 가장 큰 알파벳과 가장 낮은 알파벳은?

■ 답안지

〈표〉 전체 대비 갑~정의 답안

	A	B	C	D	E
갑/전체	6.34%	5.24%	6.10%	4.76%	5.31%
을/전체	41.16%	39.97%	38.81%	45.12%	45.99%
병/전체	72.71%	63.61%	58.70%	54.21%	47.39%
정/전체	9.77%	9.02%	10.50%	9.19%	9.82%

〈표〉 전체 대비 갑~정의 답안

	A	B	C	D	E
갑/전체	58.54%	56.86%	66.24%	61.18%	59.42%
을/전체	14.47%	13.37%	11.68%	13.02%	10.77%
병/전체	48.70%	56.60%	54.95%	42.88%	35.46%
정/전체	64.42%	59.50%	63.54%	67.79%	59.32%

계산연습 1-04 (정보 찾기 연습)

■ 문제지 〈표〉의 값을 이용하여 〈설명〉을 해결하시오.

〈표〉 계산연습 문제

	갑	을	병	정	전체
A	1590	1018	1291	1487	4730
B	1516	1123	1296	1418	4888
C	1469	920	1385	1445	5127
D	1692	968	1527	1159	5293
E	1873	975	1842	1167	5488

※ 전체는 갑~무의 합이 아님.

설명

1. 갑의 비중이 가장 큰 알파벳과 가장 낮은 알파벳은?
2. 을의 비중이 가장 큰 알파벳과 가장 낮은 알파벳은?
3. 병의 비중이 가장 큰 알파벳과 가장 낮은 알파벳은?
4. 정의 비중이 가장 큰 알파벳과 가장 낮은 알파벳은?

〈표〉 계산연습 문제

	전체	갑	을	병	정
A	2443	651	1869	1117	187
B	2558	727	2275	1360	191
C	2662	589	2413	1647	164
D	2766	624	2314	1744	141
E	2904	574	2012	1953	130

※ 전체는 갑~무의 합이 아님.

설명

1. 갑의 비중이 가장 큰 알파벳과 가장 낮은 알파벳은?
2. 을의 비중이 가장 큰 알파벳과 가장 낮은 알파벳은?
3. 병의 비중이 가장 큰 알파벳과 가장 낮은 알파벳은?
4. 정의 비중이 가장 큰 알파벳과 가장 낮은 알파벳은?

■ 답안지

〈표〉 전체 대비 갑~정의 답안

	갑/전체	을/전체	병/전체	정/전체
A	33.61%	21.52%	27.30%	31.44%
B	31.01%	22.98%	26.51%	29.01%
C	28.64%	17.94%	27.01%	28.18%
D	31.97%	18.29%	28.84%	21.90%
E	34.13%	17.76%	33.57%	21.26%

〈표〉 전체 대비 갑~정의 답안

	갑/전체	을/전체	병/전체	정/전체
A	26.64%	76.49%	45.74%	7.67%
B	28.42%	88.91%	53.17%	7.45%
C	22.14%	90.62%	61.85%	6.16%
D	22.57%	83.64%	63.04%	5.09%
E	19.77%	69.30%	67.24%	4.46%

계산연습 1-05 (플마 찢기)

■ 문제지 (플마 찢기를 통해서 대소를 비교하세요.)

번호	분수		비율	번호	분수		비율	번호	분수		비율	번호	분수		비율
01)	$\frac{745}{1264}$	○	60%	16)	$\frac{7291}{9657}$	○	75%	31)	$\frac{2966}{8008}$	○	35%	46)	$\frac{7672}{8550}$	○	90%
02)	$\frac{488}{2380}$	○	20%	17)	$\frac{2896}{9263}$	○	30%	32)	$\frac{1305}{1454}$	○	90%	47)	$\frac{2406}{2960}$	○	80%
03)	$\frac{2380}{2608}$	○	90%	18)	$\frac{3013}{3492}$	○	85%	33)	$\frac{1814}{3704}$	○	50%	48)	$\frac{599}{3681}$	○	15%
04)	$\frac{1462}{1643}$	○	90%	19)	$\frac{2219}{2619}$	○	85%	34)	$\frac{802}{2058}$	○	40%	49)	$\frac{3368}{6153}$	○	55%
05)	$\frac{4180}{8405}$	○	50%	20)	$\frac{3109}{3465}$	○	90%	35)	$\frac{4976}{5545}$	○	90%	50)	$\frac{1390}{4444}$	○	30%
06)	$\frac{1792}{3040}$	○	60%	21)	$\frac{836}{1507}$	○	55%	36)	$\frac{3560}{7272}$	○	50%	51)	$\frac{636}{1131}$	○	55%
07)	$\frac{1778}{5119}$	○	35%	22)	$\frac{5087}{5845}$	○	85%	37)	$\frac{163}{1815}$	○	10%	52)	$\frac{3767}{6148}$	○	60%
08)	$\frac{1595}{4494}$	○	35%	23)	$\frac{684}{1267}$	○	55%	38)	$\frac{736}{2120}$	○	35%	53)	$\frac{1693}{3850}$	○	45%
09)	$\frac{1148}{1922}$	○	60%	24)	$\frac{3663}{4363}$	○	85%	39)	$\frac{6034}{7912}$	○	75%	54)	$\frac{375}{1516}$	○	25%
10)	$\frac{2109}{3146}$	○	65%	25)	$\frac{5742}{8235}$	○	70%	40)	$\frac{4198}{6486}$	○	65%	55)	$\frac{4175}{5236}$	○	80%
11)	$\frac{5491}{5966}$	○	90%	26)	$\frac{5541}{6818}$	○	80%	41)	$\frac{897}{1572}$	○	55%	56)	$\frac{8140}{9695}$	○	85%
12)	$\frac{570}{2108}$	○	25%	27)	$\frac{4091}{4785}$	○	85%	42)	$\frac{1167}{3643}$	○	30%	57)	$\frac{5637}{7622}$	○	75%
13)	$\frac{6882}{8631}$	○	80%	28)	$\frac{1185}{2421}$	○	50%	43)	$\frac{365}{3754}$	○	10%	58)	$\frac{3097}{3622}$	○	85%
14)	$\frac{1478}{1978}$	○	75%	29)	$\frac{2056}{8314}$	○	25%	44)	$\frac{2928}{9601}$	○	30%	59)	$\frac{3795}{6354}$	○	60%
15)	$\frac{849}{3990}$	○	20%	30)	$\frac{869}{2397}$	○	35%	45)	$\frac{2887}{9467}$	○	30%	60)	$\frac{1290}{6536}$	○	20%

■ 답안지

번호	답	번호	답	번호	답	번호	답
01)	58.96%	16)	75.50%	31)	37.04%	46)	89.73%
02)	20.50%	17)	31.27%	32)	89.73%	47)	81.27%
03)	91.27%	18)	86.27%	33)	48.96%	48)	16.27%
04)	88.96%	19)	84.73%	34)	38.96%	49)	54.73%
05)	49.73%	20)	89.73%	35)	89.73%	50)	31.27%
06)	58.96%	21)	55.50%	36)	48.96%	51)	56.27%
07)	34.73%	22)	87.04%	37)	8.96%	52)	61.27%
08)	35.50%	23)	53.96%	38)	34.73%	53)	43.96%
09)	59.73%	24)	83.96%	39)	76.27%	54)	24.73%
10)	67.04%	25)	69.73%	40)	64.73%	55)	79.73%
11)	92.04%	26)	81.27%	41)	57.04%	56)	83.96%
12)	27.04%	27)	85.50%	42)	32.04%	57)	73.96%
13)	79.73%	28)	48.96%	43)	9.73%	58)	85.50%
14)	74.73%	29)	24.73%	44)	30.50%	59)	59.73%
15)	21.27%	30)	36.27%	45)	30.50%	60)	19.73%

계산연습 1-05 (분수값 읽기)

■ 문제지

[※ 심심하시면, 분모의 영향을 이용하여 정밀한 분수값도 확인 해보세요. 단, 여러분의 멘탈을 책임지지 않습니다.]

문제지	어림셈	정밀셈	문제지	어림셈	정밀셈
01) $\frac{1342}{3424}$ =			16) $\frac{812}{4303}$ =		
02) $\frac{830}{1201}$ =			17) $\frac{5533}{9505}$ =		
03) $\frac{3659}{5163}$ =			18) $\frac{1603}{3119}$ =		
04) $\frac{1187}{1487}$ =			19) $\frac{5918}{8016}$ =		
05) $\frac{6902}{8861}$ =			20) $\frac{2267}{4605}$ =		
06) $\frac{3590}{3728}$ =			21) $\frac{1369}{2702}$ =		
07) $\frac{1187}{1301}$ =			22) $\frac{1711}{5054}$ =		
08) $\frac{698}{2925}$ =			23) $\frac{727}{3971}$ =		
09) $\frac{505}{4570}$ =			24) $\frac{1637}{3703}$ =		
10) $\frac{6301}{6650}$ =			25) $\frac{5179}{6548}$ =		
11) $\frac{227}{2007}$ =			26) $\frac{4357}{7129}$ =		
12) $\frac{1758}{2991}$ =			27) $\frac{3137}{4664}$ =		
13) $\frac{6419}{8875}$ =			28) $\frac{3794}{7444}$ =		
14) $\frac{1168}{2546}$ =			29) $\frac{4583}{8547}$ =		
15) $\frac{4931}{6254}$ =			30) $\frac{1342}{3939}$ =		

■ 답안지

01)	39.18%	11)	11.33%	21)	50.68%
02)	69.10%	12)	58.77%	22)	33.86%
03)	70.86%	13)	72.33%	23)	18.31%
04)	79.85%	14)	45.86%	24)	44.21%
05)	77.89%	15)	78.85%	25)	79.10%
06)	96.31%	16)	18.87%	26)	61.11%
07)	91.24%	17)	58.21%	27)	67.26%
08)	23.85%	18)	51.40%	28)	50.97%
09)	11.05%	19)	73.83%	29)	53.62%
10)	94.75%	20)	49.22%	30)	34.07%

계산연습 1-05 (정보 찾기 연습)

■ 문제지 〈표〉의 값을 이용하여 〈설명〉을 해결하시오. (최대한 머리를 통해 해결)

〈표〉 계산연습 문제

	A	B	C	D	E
갑	5725	4910	4735	5756	5567
을	7736	6634	5402	6567	7666
병	2073	1777	1536	1560	1275
정	2314	2100	1815	1752	2133
전체	9269	9618	10044	10502	10998

※ 전체는 갑~무의 합이 아님.

설명

1. 갑의 비중이 가장 큰 알파벳과 가장 낮은 알파벳은?
2. 을의 비중이 가장 큰 알파벳과 가장 낮은 알파벳은?
3. 병의 비중이 가장 큰 알파벳과 가장 낮은 알파벳은?
4. 정의 비중이 가장 큰 알파벳과 가장 낮은 알파벳은?

〈표〉 계산연습 문제

	A	B	C	D	E
전체	3551	3661	3829	3985	4132
갑	2894	2463	2502	2529	2926
을	2045	1843	2149	1742	1667
병	1200	1261	1092	1104	1332
정	1135	1306	1261	1023	1132

※ 전체는 갑~무의 합이 아님.

설명

1. 갑의 비중이 가장 큰 알파벳과 가장 낮은 알파벳은?
2. 을의 비중이 가장 큰 알파벳과 가장 낮은 알파벳은?
3. 병의 비중이 가장 큰 알파벳과 가장 낮은 알파벳은?
4. 정의 비중이 가장 큰 알파벳과 가장 낮은 알파벳은?

■ 답안지

〈표〉 전체 대비 갑~정의 답안

	A	B	C	D	E
갑/전체	61.77%	51.05%	47.14%	54.81%	50.62%
을/전체	83.46%	68.98%	53.79%	62.53%	69.70%
병/전체	22.36%	18.48%	15.30%	14.86%	11.59%
정/전체	24.96%	21.83%	18.07%	16.69%	19.40%

〈표〉 전체 대비 갑~정의 답안

	A	B	C	D	E
갑/전체	81.51%	67.28%	65.35%	63.47%	70.81%
을/전체	57.60%	50.34%	56.11%	43.71%	40.34%
병/전체	33.80%	34.46%	28.53%	27.70%	32.25%
정/전체	31.95%	35.67%	32.94%	25.66%	27.39%

계산연습 1-05 (정보 찾기 연습)

■ 문제지 〈표〉의 값을 이용하여 〈설명〉을 해결하시오.

〈표〉 계산연습 문제

	갑	을	병	정	전체
A	2460	3264	5174	4065	6720
B	2471	3116	6233	3474	6953
C	3008	2546	6963	2839	7281
D	2731	2058	7368	2862	7559
E	2637	2398	7850	3050	7903

※ 전체는 갑~무의 합이 아님.

설명

1. 갑의 비중이 가장 큰 알파벳과 가장 낮은 알파벳은?
2. 을의 비중이 가장 큰 알파벳과 가장 낮은 알파벳은?
3. 병의 비중이 가장 큰 알파벳과 가장 낮은 알파벳은?
4. 정의 비중이 가장 큰 알파벳과 가장 낮은 알파벳은?

〈표〉 계산연습 문제

	전체	갑	을	병	정
A	2029	306	574	563	534
B	2121	295	612	656	489
C	2200	283	524	661	566
D	2286	299	529	667	599
E	2386	244	642	543	578

※ 전체는 갑~무의 합이 아님.

설명

1. 갑의 비중이 가장 큰 알파벳과 가장 낮은 알파벳은?
2. 을의 비중이 가장 큰 알파벳과 가장 낮은 알파벳은?
3. 병의 비중이 가장 큰 알파벳과 가장 낮은 알파벳은?
4. 정의 비중이 가장 큰 알파벳과 가장 낮은 알파벳은?

■ 답안지

〈표〉 전체 대비 갑~정의 답안

	갑/전체	을/전체	병/전체	정/전체
A	36.60%	48.57%	76.99%	60.49%
B	35.54%	44.81%	89.64%	49.97%
C	41.31%	34.97%	95.63%	38.99%
D	36.14%	27.22%	97.47%	37.86%
E	33.37%	30.35%	99.34%	38.59%

〈표〉 전체 대비 갑~정의 답안

	갑/전체	을/전체	병/전체	정/전체
A	15.08%	28.30%	27.77%	26.33%
B	13.93%	28.84%	30.96%	23.05%
C	12.85%	23.84%	30.06%	25.72%
D	13.10%	23.15%	29.20%	26.22%
E	10.21%	26.92%	22.76%	24.21%

Part Ⅰ 용
계산연습

PSAT 자료통역사의 통하는 자료해석 ②권 풀이편(PART Ⅰ) 관점 익히기

초판발행 | 2022년 12월 5일
편 저 자 | 김은기
발 행 처 | 오스틴북스
등록번호 | 제 396-2010-000009호
주　　소 | 경기도 고양시 일산동구 백석동 1351번지
전　　화 | 070-4123-5716
팩　　스 | 031-902-5716

정　　가 | 45,000원
I S B N | 979-11-88426-53-9(14320)
979-11-88426-52-2(14320) (전3권 세트)